SOU UMA TOLA
POR TE QUERER

CAMILA SOSA VILLADA
SOU UMA TOLA POR TE QUERER

Tradução
Joca Reiners Terron

TUSQUETS
EDITORES

Camila Sosa Villada, 2022
Copyright © Tusquets Editores, S.A., 2022
Copyright © Editora Planeta do Brasil, 2022
Copyright da tradução © Joca Reiners Terron
Todos os direitos reservados.
Título original: *Soy una tonta por quererte*

Preparação: Maitê Zickhur
Revisão: Débora Dutra Vieira
Projeto gráfico: Jussara Fino
Diagramação: Márcia Matos
Capa: Adaptada do projeto gráfico original de Compañía por Fabio Oliveira
Ilustração de capa: Paula Cruz

Dados Internacionais de Catalogação na Publicação (CIP)
Angélica Ilacqua CRB-8/7057

Villada, Camila Sosa
Sou uma tola por te querer / Camila Sosa Villada; tradução de Joca Reiners Terron. - São Paulo: Planeta do Brasil, 2022.
208 p.
ISBN 978-85-422-1959-3
Título original: Soy una tonta por quererte
1. Ficção argentina I. Título II. Terron, Joca Reiners
22-5567   CDD Ar860

Índice para catálogo sistemático:
1. Ficção argentina

MISTO
Papel produzido a partir de fontes responsáveis
FSC® C011188

Ao escolher este livro, você está apoiando o manejo responsável das florestas do mundo

2022
Todos os direitos desta edição reservados à
EDITORA PLANETA DO BRASIL LTDA.
Rua Bela Cintra, 986 – 4º andar
Consolação – 01415-002 – São Paulo-SP
www.planetadelivros.com.br
faleconosco@editoraplaneta.com.br

Sumário

7   OBRIGADA, DEFUNTA CORREA
19   NÃO FIQUE TEMPO DEMAIS NO ATOLEIRO
41   A NOITE NÃO VAI PERMITIR QUE AMANHEÇA
53   SOU UMA TOLA POR TE QUERER
101 A MERENDA
107 MULHER TELA
123 A CASA DA COMPAIXÃO
153 COTITA DE LA ENCARNACIÓN
165 SEIS TETAS

Obrigada, Defunta Correa

No final de novembro do ano de 2008, Don Sosa e La Grace viajaram ao santuário da Defunta Correa em Vallecito, a menos de cem quilômetros da cidade de San Juan. Ainda não tinha amanhecido quando La Grace pôs na cesta de vime a garrafa térmica com água quente e o conjunto de mate, os bolinhos que assou no dia anterior para comer durante a viagem, os sanduíches de milanesa, o cooler com refrigerante e algumas latas de cerveja para Don Sosa, e, dentro de sua carteira, uma medalha de prata que me deram na escola por ser bom aluno.

Don Sosa ficava nervoso quando tinha de dirigir por tantos quilômetros. Estivera toda a semana dentro de seu carro verificando o motor para que funcionasse à perfeição, esquartejando-o, fazendo transplantes nele e substituindo velhas mangueiras por novas, para não ter problemas na estrada e não pagar os conhecidos subornos que a polícia rodoviária das províncias cuyanas exige dos turistas. La Grace costumava promover cenas que podiam terminar em discussões bravíssimas por causa da maneira que Don Sosa batia na roupa com aquela boina. As calças cheias de graxa, as camisas de sair com manchas pretas. Pouco importava o que estava vestindo: se o seu carro precisava de revisão, arregaçava as mangas e dava uma de mecânico. "E quem lava é a tonta", dizia La Grace.

Partiram de Mina Clavero. Atravessaram o Valle de Traslasierra escutando música folclórica, tomando mate, cada qual fazendo piada com o outro como um casal acostumado a sair de viagem, um casal que gosta de viajar. Pegaram esse hábito desde que vim estudar em Córdoba e eles voltaram a ficar juntos após uma separação de mais de um ano. Mas o destino era novo, isso sim, nunca tinham ido ao santuário da Defunta Correa.

O calor de Villa Dolores os deixou de mau humor e, quando o sol começou a subir no céu, chegando em La Rioja, desentenderam-se por coisicas de nada, discussões por ninharias que sempre tiveram.

Don Sosa dirigia muito bem. E era um baita boca-suja nas rodovias. Toda vez que algum motorista cometia uma infração, o xingava de cima a baixo, mandando lembranças para sua mãe, suas avós e suas irmãs. Às vezes também lhes desejava a morte e La Grace o repreendia como a uma criança.

— Mas você vai xingando desse jeito na estrada? Não se cansa de xingar?

Se aparecia uma capelinha para recordar alguma batida com mortos na margem do caminho, ou a estátua de algum santo, daí Don Sosa se benzia todo e fazia promessa.

— Curita Brochero, acompanhe-nos na viagem. Amém, Gauchito Gil, cuida de nossa viagem. Virgencita del Valle, a ti me entrego.

La Grace não suportava a cafonice papa-hóstia do marido. Era uma mulher ressentida com a Igreja Católica. Uma vez ela assistiu à missa, no primeiro dia em que atuei como coroinha e segurei as hóstias para que o padre Pedernera desse a comunhão aos paroquianos. Tinha se confessado e estava um pouco nervosa de ver seu bebê auxiliando o sacerdote atrás do altar. No momento de receber o corpo de Cristo e beber seu sangue, do alto dos dois ou três degraus mais para cima onde estavam o padre e o seu próprio filho maricas que debutava como coroinha, em vez de hóstia e talagada de vinho, recebeu uma mão peluda que a retirou da fila. E a voz do padre:

— Você não pode comungar.

— Por quê? — perguntou La Grace com um brilho úmido nos seus olhos enormes.

— Porque vive em concubinato. E isso é pecado.

La Grace se retirou em silêncio e fumou um cigarro atrás do outro nas escadarias da entrada da Igreja do Perpétuo Socorro de Mina Clavero, até terminar a missa e eu sair. Enquanto descíamos a ladeira empurrando nossas bicicletas ao lado, La Grace, conservando o mesmo brilho doloroso com que indagou sobre seu exílio, me disse:

— Não volto mais.

E nunca mais voltou a uma missa e, pouco a pouco, foi pegando raiva de assuntos católicos. Conservava a fé que herdara de sua avó pela Virgen del Valle, porém se afastou para sempre das crenças que até então tinham orientado sua vida.

Não sei muito bem como, muitos anos depois, chegou a eles o boato sobre a Defunta Correa. Talvez o vento dos Andes tenha soprado a outro vento que chegou aos ouvidos de meus pais e lhes cochichou sobre o grande poder de

Deolinda. É possível que o tenham difundido como um assunto pagão, de alguma maneira liberado das correias do catolicismo. E um dia foram vê-la.

    Deolinda Correa é uma santa popular que certa noite, antes de fazer milagres, perseguida por um bebum valentão do vilarejo, teve de fugir com seu filho de poucos meses nos braços. Cruzou o deserto saindo de Angaco com a intenção de chegar a La Rioja, para onde seu marido fora levado por uma milícia durante a guerra civil. Se pôde levar duas gotas d'água com ela foi muito. Só levou seu pavor e seu bebê. O desespero funcionou melhor que ser prevenida, e logo se viu correndo de sandálias pelo deserto no meio de uma noite tão clara que dava para ver até debaixo da terra. O deserto é traiçoeiro. E uma vez que a água acaba e se vai a pé sob o sol que a odeia e se está perdida e alguém chora no seu peito e você se arrepende de ter fugido do filho da puta que a perseguiu até obrigá-la a fugir como uma ratazana, só resta se render. Xingar o cretino do seu marido e dizer chega. Abrigar-se sob o desamparo e deixar que o cansaço e a sede façam o resto. Apertando seu filho contra o peito. Delirando e dando seus últimos suspiros nas explosões de luz acima da poeira ardente.

    Sobre o corpo sem vida de Deolinda pairavam algumas aves de rapina, negras e fatídicas. Na distância, alguns pastores viram a ronda da morte e pensaram que alguma cabra, que algum cordeiro havia ficado no deserto, e foram até a área onde rondavam os urubus. Mas não encontraram nenhum animal. Encontraram Deolinda Correa morta e seu bebê preso ao peito, mamando, ignorando a fatalidade que o cercava.

O primeiro milagre.

Desde então, a figura da Defunta Correa ganhou uma dimensão de santidade que escapou à Igreja Católica, e foram-se assentando as pedras do que seria um santuário muito popular onde gente muito humilde deixa oferendas de sua fé. Miniaturas de casas, vestidos de noivas, ramos de flores de plástico, placas de prata e de bronze, relógios, pingentes, cruzes, fotografias, garrafas d'água.

O que Don Sosa e La Grace foram fazer naquele lugar depois de atravessar um deserto inteiro num descascado Renault 18, quase no final de 2008? Foram pedir que sua filha travesti achasse um trabalho melhor. No que trabalhava sua filha travesti? Era prostituta, evidentemente. Tinha ido estudar Comunicação Social e Teatro em Córdoba, mas acabou virando puta. Eles não sabiam, mas no inverno daquele ano dois clientes tinham dado um mata-leão na filha deles e roubaram todas as posses de sua pobreza: um televisor antigo que perdera a cor, um DVD emprestado, um aparelho de som e o carregador de seu celular. Também os quarenta pesos que carregava na carteira. Amarraram-na com sua própria roupa enquanto se encontrava desmaiada e, ameaçada com uma faca de serra, os dois ladrões a foderam, sem violência, só que durante toda uma longa noite. Ao amanhecer, um taxista amigo passou para buscá-los e ela ficou amarrada e humilhada no seu quarto de pensão.

Don Sosa e La Grace nem sequer imaginavam os coquetéis com que sua filha invocava o sono e a indolência, nem a eterna aridez em que transcorriam seus dias, seus dias no deserto. Dizem por aí que as mães sabem de tudo. Mas La Grace não estava preparada para saber nada. Em seu coração de dona de casa, só havia lugar para a suspeita de que sua filha não estava nada bem, que talvez andasse metida em coisas estranhas, mas não queria dizer a palavra prostituição e se negava a pensar mais além. Don Sosa tinha o coração menos esquivo. Por isso andava tão zangado com a filha.

La Grace conta que no dia em que foram ao santuário da Defunta Correa chorou assim que viu o primeiro penitente subir a ladeira de joelhos e com olhos banhados em lágrimas. Imaginou as promessas feitas, por uma casa, para que uma cirurgia saísse bem, por um trabalho desejado, pelo regresso de um grande amor, e se emocionou. Chorou junto com Don Sosa, porque a impotência os deixava no meio do deserto, pedindo a uma santa que fizesse o trabalho que eles não puderam fazer.

Depois de comer, Don Sosa e La Grace subiram a colina, até o altar onde uma imagem da Defunta Correa descansa rodeada de vestidos de noiva que os romeiros vão deixando como pagamento pelo milagre alcançado. Levavam garrafas plásticas cheias d'água e uma medalhinha que sua filha travesti ganhara no ensino médio. Que consiga um bom trabalho, Defuntinha Correa, que deixe o mal que estiver fazendo agora e que sua vida mude.

Do lado de fora, o vento dos Andes se enroscou em si mesmo, se lançando depois a percorrer os mesmos desertos que secaram Deolinda em sua fuga e chegou até Córdoba, a capital.

Três meses depois, a filha travesti de Don Sosa e La Grace, ou seja, eu – na escrita é inútil disfarçar uma primeira pessoa, pois os escritos começam a adoecer a partir de três ou quatro parágrafos –, estreava *Carnes Tolendas*. Porque além de gostar de ser puta, também gostava de teatro.

María, que era uma das minhas melhores amigas, me convidou para participar do seu trabalho de graduação em Artes Cênicas. Precisava montar uma peça e lhe dar uma base teórica. Pedimos auxílio a Paco Giménez, que foi nosso professor de interpretação no terceiro ano da Escola de Teatro da Universidade, e começamos a preparar aquela bruxaria que foi *Carnes Tolendas*. Colocamos um subtítulo irônico: *Retrato encenado de uma travesti*. Mas nossa ironia não foi entendida. Na peça, contava como meus pais e o povoado receberam minha decisão de ser travesti. Por sugestão de Paco Giménez, misturamos esse perfil biográfico com alguns personagens das peças de Federico García Lorca.

Levamos quase um ano e meio para botar de pé aquele monstrengo. Às vezes, María passava pela pensão para me levar ao ensaio e me encontrava pior que um cristo, depois de passar uma noite péssima, com os olhos empelotados de rímel, com rastros de baba alheia pelo corpo todo, morta de fome. Comprávamos algo para comer no teatro e, mal me recuperava, costurávamos cenas da minha adolescência com textos de García Lorca.

— Uma travesti conhece a solidão, como dona Rosita, a solteira. Uma travesti conhece o autoritarismo e a falta de liberdade, como em *A casa de Bernarda Alba*. E por acaso não existem travestis que querem ser mães, como Yerma? E não vivem paixões desesperadas, como os amantes de *Bodas de sangue*? As travestis que foram fuziladas ou assassinadas, assim como Federico García Lorca — dizia Paco, e a gente quebrava a cachola para fazer bem, e montar uma peça de teatro que ficasse legal.

Uma vez ele me falou num ensaio:

— Sei como é a sua alma. Sua alma é tênue.

Carnes Tolendas durava aproximadamente cinquenta minutos e terminava com um nu frontal meu de frente para uma plateia que não podia acreditar que estava vendo uma travesti fazer aquilo. María se formou em Artes Cênicas com nota dez e elogios rasgados. A peça nos custou pouco dinheiro. Costurei o figurino, usávamos poucos objetos, bigodes, algumas flores de plástico e uma coroa de noiva. Tínhamos pensado em fazer oito apresentações durante dois meses. Uma apresentação por final de semana.

Na primeira apresentação apareceram amigos, parentes, colegas da faculdade. Devem ter sido umas trinta pessoas. Na segunda apresentação foram cinquenta espectadores. Na terceira foram oitenta, e na quarta apresentação as pessoas voltaram para casa porque não tinha lugar para assistir sentado.

No primeiro sábado de março do ano de 2009 estreamos com *Carnes Tolendas*. Depois de três meses da promessa dos meus pais feita à Defunta Correa. As críticas não podiam ser melhores. Me entrevistavam na televisão e nos jornais. A peça viajava de boca em boca e gente que nunca tinha ido ao teatro chegou para verificar qual era a do boato. O público se acotovelava na porta de cada teatro onde nos apresentávamos. Comecei a desconfiar que ser atriz seria suficiente, que estava cansada do *trottoir* e que a vida me dera claros sinais de que me faltava inteligência para sobreviver como prostituta. Talvez fosse hora de seguir a sorte. Com o que ganhava em cada apresentação, paguei todos os meses de aluguel atrasado na pensão onde vivia, e comprei de volta o que me roubaram aqueles filhos da puta no ano anterior. Nunca imaginei que La Grace e Don Sosa tinham feito uma promessa para a Defunta Correa em meu nome. E, pelo visto, funcionou, pois como Mamma Roma disse, "Addio, bambole", e caí fora da prostituição, rebolando forte para viver de cachê e não do bolso de um cliente.

Mas era o que precisava? Foi um milagre da Defunta? Era melhor ser atriz que prostituta? Não sei. Penso que não tinha talento para fazer dinheiro com meu bumbum. Era crédula e caipira, demorei a desenvolver o faro, não tinha tetas, era um desastre como puta, como se diz. E fazia a melancólica e sofria, pois era jovem e era carne para o desespero. Talvez agora fosse diferente. Talvez agora pudesse fazer melhor. Naqueles anos, porém, quando o milagre aconteceu, só havia incômodo. Às vezes, quando quero ser cruel comigo e com Don Sosa e La Grace, digo a mim mesma que uma telefonadinha teria sido legal. Mas eles foram até a Defunta Correa e o desastre que era minha vida criou ordem em camarins e palcos, viajando pelo país como uma companhia do século XX, levando a novidade do teatro mediterrâneo para cantos inesperados como Itá Ibaté ou a prisão de Bouwer.

Pouco tempo depois, fomos com La Grace e Don Sosa agradecer à Defunta por aquela virada de página. Antes de nos metermos no Renault 18 do meu pai, fizemos a promessa de nos tratar bem uns aos outros durante a viagem. Como família, era muito complicado dividirmos espaços fechados. Mas conseguimos.

— Olha só esse deserto, filha. Como é que a pobre Defunta não ia morrer de sede — disse La Grace enquanto me passava um mate.

— E o frio que faz de noite — acrescentou Don Sosa.

No santuário, me comovi com os romeiros assim como minha mãe na sua primeira visita. Com o jeito de pagar assuntos do espírito com o corpo. No final, tudo é supermístico e muito santo, mas quem trabalha de verdade é a carne. Também me chamou a atenção como era tremendamente sexy a imagem em gesso da Defunta Correa. Ao vê-la, pensei que a atriz Coca Sarli a teria interpretado de modo inesquecível no cinema.

— Como a Defunta é sexy! — falei ao pé do ouvido de La Grace. Tivemos um ataque de riso e Don Sosa nos obrigou a sair do lugar. Ao olhar para ele, nos demos conta de que andou chorando.

La Grace viu *Carnes Tolendas* muitas vezes. Don Sosa só uma, quatro anos após a estreia. Assistiu à peça em Catamarca. Uma turnê coincidiu com a romaria que então eles faziam todos os anos. Ao terminar, La Grace veio ao camarim cheia de preocupação:

— Saiu sangue do nariz do seu pai durante toda a apresentação. Foi ao banheiro trocar de camisa porque ficou banhada em sangue. Ele ficou nervoso, acho. — A voz dela tremeu. — Para nós não é moleza ver essa peça.

Disse isso como se estivesse pedindo desculpas diante do grupo teatral.

Eu, de minha parte, fiquei sem voz. Nunca tinha acontecido comigo. Não sei se foi a turnê que me deixou muito cansada ou os nervos por atuar em frente ao meu pai, bastou começar e tive de pedir um microfone, pois não me ouviam.

Aquela noite os duendes dançavam ao nosso redor com ferocidade, abocanhando as cortinas.

Aos poucos e timidamente, enquanto terminava de me vestir e de guardar as coisas nas malas, apareceu aquele velho mau que me coube como pai. Vinha com toda a sua vergonha nas costas. Tinha sangrado durante toda a peça, em silêncio, recebendo as sarrafadas lorquianas. Nunca ninguém falou com ele daquele jeito sem levar porrada. Mas sua filha travesti e prostituta, a razão de sua promessa para a Defunta, contou para ele a sua versão do milagre.

O que aconteceu com o filho da Defunta Correa? Foi encontrado pelas travestis do Parque Sarmiento.

Não fique tempo demais no atoleiro

Martincito balança as pernas penduradas no barranco. Está com seu cachorro novo, um totó cor de chá com leite. Vê o tempo passar, que é justamente o que deixa seu pai mais fulo da vida. Ele adora a tarde, e gostaria que a tarde durasse mais para ficar ali matando o tempo nos cafundós da cidade. O barranco fica perto de sua casa. A distância é curta para voltar e começar a trabalhar nas tarefas que seu pai, antes de sair para a obra, lhe deixa por escrito num papel grudado na geladeira com um imã. Demora só o suficiente para que, em casa, ninguém se pergunte: onde terá se metido esse imbecil de merda?

Nesse dia a solidão de que tanto desfruta se despedaçou. Tem nas mãos um mascote novo, um amigo. Deve ser gentil com ele e lhe oferecer o que acredita ser belo. O barranco perto de sua casa, resquício de um canteiro abandonado, a tarde quente e o concerto das cigarras. Martín é parte dessas paisagens. Conhece-as como se fossem a própria carne e não se deixa enganar pela sedução da natureza: sabe que detrás de qualquer arbusto em flor pode ter uma cascavel ou um escorpião bravo. Anda como dono e senhor por essas quebradas, mas sempre desconfiando da paisagem, como lhe ensinou seu pai.

Não foi difícil para ele escolher o nome do cachorro. Chamou-o de Don José, como o porteiro de sua escola, um senhor de que gostava muito porque o tratava bem e o defendia, caso flagrasse no recreio algum grandalhão querendo lhe meter medo. Soube o nome do cachorro no dia em que seu pai lhes deu a notícia:

— A mamãe foi embora, levou as coisas dela e nos largou.

Ele e sua irmã – tão parecida com sua mãe – ficaram sem saber o que dizer.

— Então, para vocês não ficarem tristes, escolham alguma coisa de que gostam e que não seja muito cara que eu trago para vocês quando for à cidade.

Os irmãozinhos ficaram em silêncio.

— Vão querer o quê?

E Martincito, mais do que rápido, se imaginou com o cabelo comprido e um vestido que sua mãe esquecera durante a fuga, correndo pelo lamaçal com um cachorrinho que o seguia com a língua de fora.

— Quero um cachorrinho. Um cachorrinho para chamar de Don José.

— É para já — e o pai saiu.

E agora, antes de levá-lo para casa, percebe que finalmente tem um cachorro como o do calendário da sorveteria da cidade. Um cãozinho que parece sorrir enquanto uma menina loura e feliz o abraça em um parque tão verde que chega a doer nos olhos. Martincito gostava de ir à sorveteria, mais do que pelos sorvetes, para ficar horas sentado olhando a imagem do seu desejo, como todos já fizemos alguma vez. E ali está, sentado no barranco sendo seu próprio desejo, algo assim como uma melancolia de si mesmo. Don José dorme no seu colo, ainda é pequeno, e molha de transpiração as pernas do menino. Pensa que uma vida tão pequena como a do seu cachorro, se fosse jogada dali ao abismo do barranco, explodiria como o sapo que sua irmã, anos atrás, esmagou com o martelo do pai. Sua irmã não era má, fez isso apenas porque queria ver como ele era por dentro. O pai dizia que os sapos atropelados eram como romãs explodidas no asfalto, e mesmo que ela nunca tivesse visto uma romã, o pai havia dito a eles que era a única fruta do mundo cheia de pedras preciosas. Isso deve ter provocado curiosidade nela, pois sua irmã não era capaz de machucar um animal, pelo contrário. Vivia pela casa com as galinhas, as cabras e o cavalo do pai.

A tarde é como um eclipse. Se a gente olha o sol se pôr, fica na vista uma mancha branca que persegue tudo o que aparece depois. Para onde quer que se olhe. De um lado já se pode farejar a noite e do outro a luz é intensa e alaranjada.

Os meninos merecem uma solidão assim às vezes, um silêncio materno, um silêncio paterno que os deixe se medir com seus pensamentos, olhando uma tarde como esta, ao lado do seu cachorro que de instante em instante resfolega marcando o tempo. Martincito se sobressalta com o grito dos pássaros, como se tivesse estado dormindo de olhos abertos.

Don José é pequeno, tem uns dois meses, e Martincito o conheceu poucos dias depois de ter nascido, na casa de dona Rita, sua vizinha.

— Viu só que bonitos?
— Sim. E a mãe?

— Anda por aí, pobrezinha, ficou exausta. Passou a tarde toda parindo. Não consegui ajudá-la. Agora está descansando. — E acrescentou: — Gosta de algum?

Martín olhou outra vez dentro da caixa e o viu. Era um cachorrinho que, das cruzas de raça que o geraram, herdou umas orelhas compridas que caíam sobre seus olhos como as orelheiras de um gorro e um focinho largo como se fosse um nariz de borracha. A vizinha, que vivia a mais de um quilômetro de distância, mostrou para ele os cãezinhos dentro de uma caixa que preenchera com uma colcha quadriculada.

— Esse — disse Martincito. Os cãezinhos gemiam dentro da caixa. Dona Rita olhava com a mesma piedade para o menino. Tirou o cachorro da caixa e o segurou entre as mãos.

— Se quiser, é seu.

— Meu pai não vai deixar — respondeu o menino.

— Deixe aquele trouxa comigo.

A parturiente grunhiu e soltou um latido para que Martincito deixasse o cachorro na caixa. Era uma cadela velha e pesada, não inspirava nenhuma piedade e não dava culpa tirar um dos filhos dela.

A vizinha dona Rita sentia muito carinho pelo menino e um pouco de pena que sua mãe tivesse ido embora do jeito que foi, no meio da noite; mas também era certo que Ricardo Camacho, o pai, era um abusador amargurado e cedo ou tarde algo irreversível acabaria acontecendo. Viúva e já quase chegando aos setenta, dona Rita tinha sido a única a observar o deterioramento do casamento dos pais de Martín, a partir de uma distância prudente. Podia interferir ou ficar em silêncio, segundo exigissem as circunstâncias, que tinham sido ferozes em muitas ocasiões. Assuntos de dor e porradas e perseguições no morro com o facão na mão. Para dona Rita, o fato de ser parte, graças à confiança que a mãe de Martín lhe dera, a fazia permanecer atenta ao que pudesse acontecer na casa de Ricardo Camacho. Vivia da aposentadoria de seu marido, que fora juiz de paz do distrito de San Javier e meio que um pai para a mãe de Martincito. Quando o menino voltava do colégio, fazia as compras para ela e carregava as sacolas com uma responsabilidade e uma força inusitadas para sua idade. Conversava como gente grande e fazia perguntas que a faziam pensar.

— Hoje, na escola, uns moleques começaram a rir quando a professora falou "homossexual" e acabaram expulsos da aula... O que é um homossexual? — um dia ele perguntou para ela, enquanto tomava o lanche como convidado de honra.

Dona Rita ficou boquiaberta.

— É quando uma menina, em vez de gostar de um menino, gosta de outra menina. Ou o contrário. Quando um menino, em vez de gostar de uma menina, fica gostando de um menino.

— E isso está certo ou errado?

— Errado é uma velha como eu ficar dando pitaco sobre essas coisas.

— Mas está certo ou errado?

— Para mim não tem nada de errado nisso. As pessoas, cada uma cada qual, entendem como uma coisa boa ou ruim... ou se assustam, ou não estão nem aí. E agora termine esse achocolatado antes que esfrie.

Como promessa é dívida, logo foi até a casa de Martincito para falar com o pai dele e dizer que tinha aquele cachorro em sua casa, e que se quisesse o daria como presente de aniversário ao garotinho, mas somente se ele aprovasse.

— O momento é ideal. A mãe já o desmamou, impondo limites. Vai ser um cachorro que aprende com facilidade.

— Cachorro grande? — perguntou Ricardo Camacho inflando o peito debaixo da camisa grudenta e molhada de suor. Brotou uma carne dura e peluda de cafajeste que arrancava suspiros das moças do povoado, mas que despertou pena em dona Rita. Logo com ela! Que podia ser sua avó e sabia de tudo! Fez vista grossa e continuou.

— A mãe é grande, mas vai saber qual cachorro cruzou com ela. Acho que não cresce mais que isso — disse a vizinha, botando a palma da mão paralela ao piso, na altura do joelho. Assim, inclinada para o lado, parecia mais velha do que era.

— Sei não, os cães pequenos aprontam muita confusão. Vai distrair o garoto.

— Mas Martincito é tão bom aluno. Já está lendo direto, como gente grande, e tem sete anos! Ia fazer bem pra ele ter um amigo.

— Não o chame de Martincito.

— Por quê?

— Porque o infantiliza. Tem que virar homem. Trate-o como criança e o maricas não fala comigo feito homem.

— Ah, vai me desculpar. É um garoto e passou poucas e boas. Faria bem ter alguém que goste dele, que lhe faça companhia — respondeu para ele.

Ricardo Camacho cravou a pá na terra, como se marcasse um limite. Parecia que na terra estava delimitada toda a distância que ele gostaria de impor desde o começo àquela velha enxerida e não vinha conseguindo.

— O garoto pediu para você falar comigo?

— Não. Eu que pensei nisso. Gosto muito dele e acho que é um bom garoto.

— Tem certeza? — inquiriu Ricardo, comprimindo o branco dos olhos, mostrando o começo do seu perfil, para que ficasse evidente sua desconfiança.

— Sou uma mulher adulta, Camacho... não vou mentir para você.

De casa, enquanto lanchava, Martincito olhava a cena toda através das cortinas da porta, longas tiras de plástico transparente iguais às que colocam nos açougues. Sua irmã de onze anos, Irupé, estava prestes a costurar um elástico da calcinha.

— Você falou pra ela vir falar com o papi? — Irupé perguntou quase cochichando.

O menino negou com a cabeça. Quando voltou a olhar para o terreiro, tinha perdido o final da conversa e a vizinha já estava indo por onde viera. O pai voltou metendo a pá no vão da porta.

— Você pediu o cachorro pra ela?

Negou de cabeça baixa. Irupé olhou o pai, o pai olhou Irupé. Como aquela adolescente de cabelo preto e comprido lembrava sua esposa. Era tão parecida que às vezes sentia medo dela.

— Você não deu nada no aniversário dele. Deixa ele ter o cachorro.

Ricardo Camacho olhou ao redor, seus filhos olhando para ele com medo, abandonados pela mãe como se fossem um prego qualquer. Suspirou e esfregou a cabeça com ambas as mãos sem saber o que fazer. Castigar seu filho por ter pedido o cachorro para a velha, castigar a filha por falar com ele naquele tom como se já fosse grande (coisa que tinha ficado habitual) ou deixar que ficasse com o totó.

— Está bem, pode ir buscar. E quando voltar vai ter que peneirar todo esse carrinho de areia, combinado? — E apontou um monte de areia, mais alto que Martincito. Levaria a tarde inteira e parte da noite para peneirar toda aquela areia. — E depois coloque tudo nos sacos, pois preciso levar ao ambulatório amanhã.

— Sim, papai.

Sorveu o último gole de chá mate. Assim que parou foi abraçar seu pai, cheio de gratidão. Ricardo o afastou com um movimento seco e preciso como o movimento de uma máquina, o braço de uma pá mecânica.

— Não quero ele aqui dentro, combinado?

Martincito assentiu.

— E você é que vai dar comida pra ele, e vai voltar pra casa da velha se me incomodar uma só vez com o latido, combinado?

Martincito saiu correndo atrás de sua bicicleta caindo aos pedaços para ir buscar Don José. Apressado, ao sair pedalando não desviou do lamaçal na entrada da casa e a roda traseira deslizou no maldito barro e caiu. O pai dele o via de casa.

— Mas é trouxa ou não é? Prepare um mate pra mim, você — ordenou a Irupé e sentou-se à mesa banhado de suor, irritado por causa da xícara suja que seu filho não tinha lavado, com raiva por ter cedido ao pedido da velha. Irupé botou a chaleira no fogo e preparou o mate. Os mesmos gestos de sua mãe. Ricardo não gostava nada da amizade que dona Rita tinha com seu filho. Já influenciara negativamente sua esposa e faria o mesmo com ele. Emprestava livros para ele.

Que tipo de amizade era aquela? O garoto devia ter amiguinhos da idade dele para ir caçar passarinhos com estilingue ou pescar no córrego, não uma velha metida que lhe dava chá e presenteava com cãezinhos. Tanta mulher na vida de um garoto só podia ser má influência, uma presente demais porque tinha caído fora, e outra presente demais que até chegava a lhe dar um cachorro. Devia era ter dado uma picareta e uma pá. Mas o que ele podia fazer se desde que sua mulher partiu mal tinha cabeça para botar comida na mesa e mandar as crianças para a escola? Sentia pena deles.

Não ignorava que, por momentos, era um filho da puta com seus filhos.

Era verdade aquele papo de que a menina se parecia com sua mãe, Antonia Charras. A mesma cor de cabelo, a mesma forma da boca e dos dentes, os mesmos olhos. A herança materna. Antonia Charras foi secretária do juiz de paz do povoado durante quinze anos. Dona Rita, a vizinha, que era a esposa do juiz, gostava dela como se fosse sua, como se a tivesse parido. Aos vinte e dois anos, Antonia conheceu Ricardo Camacho. Naquela época, ele era um dos maiores bonitões do pedaço. Tinha uma Gilera preta que rugia por caminhos intransitáveis, pelo lamaçal, boas pernas de peladeiro e uns braços alimentados a bicho morto no terreiro. O corpo inteiro parecia cantar sua força. Ela, por outro lado, era desse tipo de garota que não chama a atenção dos rapazes. Talvez sua pele branquela e sua maneira de se vestir escondendo as formas, talvez por ser secretária do juiz de paz e isso lhe desse uma aura de intocável. Talvez fosse seu peito reto, vai saber. Mas Ricardo Camacho se ligou nela uma manhã em que entrou no juizado por causa de um despacho de sua moto e, ao vê-la, gostou de Antonia Charras. Por todas essas coisas, pela discrição, pelos vestidos sem forma, pelo peito reto, por aquele jeito de ser meio fantasmagórico. Ele era jovem, mas em certo sentido era velho e antiquado. Sabia que era bonito e sabia que devia se casar jovem, juntar sua pobreza com outra pobreza e assim ter uma vida razoavelmente tolerável no empoeirado passar dos dias ali no povoado. Ninguém naqueles montes ganhava o que ganhava a secretária do juiz de paz. E, além disso, gostou de Antonia porque caminhava rapidamente, a passos largos, sem rebolar. Caminhava como um homem.

Casaram-se apesar das advertências do juiz e de dona Rita. Quiseram deixá-la de sobreaviso de que aquele rapaz não era a última Coca-Cola do deserto. O juiz de paz a aconselhou que não engravidasse, que ela poderia ir estudar em Córdoba se quisesse. Entre os dois tentaram fazer com que esperasse um pouco, que não se casasse tão rápido, que vivesse um noivado mais longo e o conhecesse melhor. Mas o peito de touro e a pica de ouro fizeram mais e Antonia mergulhou de cabeça e foi tragada por aquele poço.

Os primeiros meses de noivado foram lindos, ainda que Ricardo parecesse economizar no papo. Como se lhe cobrassem por cada palavra dita. Antonia às vezes queria contar a ele seus planos para a casa, que lugares gostaria de conhecer, com que nomes batizaria seus filhos. Mas Ricardo Camacho era duro como uma pedra de rio e não havia maneira de falar com ele. E tampouco de abandoná-lo. Já na noite da cerimônia, ambos se deram conta de que tinham cometido um erro e que nunca poderiam retornar rio acima.

Com isso, logo depois de se casar Antonia estava endividada no cartão de crédito até a medula. Comprou todo o material de construção para que Ricardo botasse em pé a casa num terreno que tinha sido dos pais dela. O trato foi este: ela entrava com o material e o terreno, ele com a mão de obra. E ao terem um quarto, uma cozinha e um banheiro, mudaram-se para lá onde terminava o povoado. No maior atoleiro.

Antonia soube tarde demais que estava grávida. Não prestava atenção aos sinais da gravidez. Nada aconteceu com ela, não teve enjoo nem sentiu tonturas. Nada. Quando estava chegando o terceiro mês, percebeu que não ficava de chico fazia algum tempo e foi ao médico no horário do almoço.

E agora precisava contar para Ricardo e isso era o pior de tudo, porque Ricardo insistia com o papo de que era livre e não estava amarrado a nada nem a ninguém. E demonstrava isso todo dia. Levantava, tomava café da manhã em pé na cozinha, enxaguava a boca e cuspia na mesma pia onde lavavam os pratos. Depois saía para trabalhar e não voltava até de noite, às vezes torto de bêbado.

Ela disse que estava grávida e o marido reagiu bem, quase pareceu ter ficado alegre.

— Oxalá seja homem, assim me ajuda a trabalhar — disse com toda a ilusão de que um homem como ele era capaz.

— Contanto que nasça com saúde, que seja o que Deus quiser.

E Ricardo fechou a cara cheio de desdém, e falou antes de sair e tomar a maior carraspana de sua vida:

— Tão estranho você me contrariar em tudo...

Nasceu Irupé e Ricardo Camacho engrossou o azedume. Ficou amargo para o convívio. Dos trinta dias que alguns meses têm, em vinte e oito estava péssimo, e se o mês tinha vinte e oito dias, em vinte estava bebaço. Insultando os espíritos do vento e da água. E quando se atreveu a botar as mãos em cima de Antonia, não conseguiu mais parar. Gostava de a cobrir de porrada com a mão aberta porque andava trabalhando demais, por ciúmes, porque a menina chorava ou porque o River tinha sido rebaixado.

Ao cabo de cinco anos após o nascimento de Irupé, chegou Martincito. E por um tempo Ricardo Camacho pareceu se acalmar. Entretanto, a paz não passou de flor de um só dia, e quando o menino começou a chorar de noite, ele voltou a descontar na mulher.

Nesse tormento, Antonia Charras desperdiçava seus vinte e poucos anos. Durante anos levou os filhos para o trabalho e o juiz de paz esteve de acordo. Às vezes aparecia na casa de dona Rita a qualquer hora, com os meninos a tiracolo, agitada e chorando, atrás de um refúgio até passar a bebedeira de Ricardo. Foi envelhecendo a dois por um, tornando-se duplamente envelhecida e cada vez mais ressentida, gostando dos filhos e ao mesmo tempo culpando-os por não poder ir embora.

— Abandone-o, vá viver numa cidade. Tudo dará certo — dona Rita lhe dizia.

Ela parecia em dúvida. Pois era mau marido mas bom pai e não se pode ter tudo na vida. Como é difícil encontrar alguém que trabalhe e não bata nas crianças.

— Não posso abandoná-lo. São seus filhos e não é ruim com eles. Não deixa faltar nada, educa-os bem e jamais levantou a mão para eles. Não posso levá-los comigo — Antonia se desculpava.

— Mas gosta deles?

— Acho que sim.

Quando o juiz de paz morreu de um câncer doloroso e breve que o levou embora quase descarnado, Antonia sentiu que estava verdadeiramente sozinha no mundo. O juiz era o único que metia medo em Ricardo. Na ocasião em que percebeu hematomas na secretária, procurou-o e o pôs no lugar dele na mesma hora com dois ou três berros bem dados.

— Vá viver com minha mulher — ele disse a ela em sua agonia. — Pegue as crianças e vá para minha casa. Fique ali e façam companhia uma à outra agora que não estarei mais presente.

Mas para Antonia significava o maior dos fracassos não poder amansar o sujeito que a tornara uma pessoa tão ruim e medrosa.

Martincito lembra de sua mãe enquanto está no barranco a sós com seu cachorro. Pensa em como parecia bonita em comparação com as mães dos outros guris da escola. Nas horas que passava olhando para ela enquanto se arrumava para ir ao juizado. No seu perfume e como o roubava às vezes e colocava um tiquinho nas orelhas imitando seus gestos. Quando começa a ficar triste, sacode a cabeça como seu pai lhe ensinou a fazer e percebe que se aproxima a hora da pergunta: onde se enfiou aquele imbecil de merda? Mas precisa de tempo para reunir forças e medir tensões, como acontece quando é preciso levantar algum objeto muito pesado e cada uma das células do corpo entra em estado de alerta a fim de se preparar. Por isso foi até o barranco com o cachorro antes de levá-lo para casa. Queria batizá-lo com seu paganismo infantil, dar-lhe força para que resista ao bravo Ricardo Camacho, o sujeito que no povoado deixava as mulheres loucas e levantava três sacos de cimento no ombro, o fenômeno de circo que era seu pai. Queria esse momento prévio para fazer seu cachorro entender que só precisa ter paciência. É fácil, para Martín. Trabalha como uma besta, apesar dos seus poucos anos. E então Ricardo percebe que trouxe um filho útil ao mundo. E o deixa viver.

Levanta-se, sacode a poeira das calças, bota o cachorro dentro da cestinha forrada de trapos da bicicleta, ali dispostos a fim de deixarem a viagem mais confortável, e volta para casa. Ao chegar, Ricardo está prestes a tomar banho, de modo que o acompanha de soslaio ao entrar. O garoto se detém e mostra o cachorro, meio que o oferecendo.

— Como se chama?
— Don José.
— Nossa, que nome — disse e fica pelado na porta do banheiro deixando toda a roupa suja no chão. — Irupé, alcança a toalha pra mim.

Martín fica quieto como uma pedra diante da porta, as mãos oferecendo Don José àquele homem pelado, com o peito, a barriga e as pernas cobertas de pelo crespo. Uma mistura de vergonha e amor esquenta suas pernas. Irupé passa perto dele com as toalhas e acaricia Don José. Bate na porta que abre quando encosta nela os nós dos dedos.

— Pai, a toalha!
— Deixa em cima da pia! — grita o pai de debaixo do chuveiro.

Eles têm um boiler elétrico que os obriga a tomar banhos breves. Irupé entra olhando seu irmão e coloca sem ver a toalha em cima da pia com um movimento veloz, com precisão de cega. Depois pega a roupa do pai e a leva até o cesto de roupa suja.

— Vá peneirar areia e brincar com Don José, assim você se deita mais cedo — diz Irupé ao irmãozinho, e o menino sai para o terreiro e começa a jogar uma pazada de areia atrás da outra em cima do elástico de metal de uma peneira improvisada. Tem força nos braços e habilidade para usar a menor das ferramentas paternas. A areia fina escorre para baixo. Don José permanece quieto aos seus pés, mexendo o rabo de vez em quando, olhando para ele com aqueles silêncios bem escuros que são seus olhos. A irmã, do interior da casa, continua seu trabalho, agora cerzindo algumas meias do pai, como fizera sua mãe durante os anos que passou ao lado deles.

No último inverno – Martín mal fizera seis anos –, Antonia passou a noite inteira em cima de uma árvore, só de camisola e com um suéter, pois conseguira escapar do punho do marido e correra até encontrar um tronco que conseguisse escalar e onde pudesse se esconder. Subiu na aroeira-do--mato mais próxima e se escondeu nos últimos galhos que aguentavam seu peso. Dali contemplou a casinha que tinham construído depois de se endividarem com meio mundo. Os tetos de madeira e zinco, as aberturas de chapa, o tanque sem água quente do lado onde o frio batia mais, o terreiro sempre seco, como se o capim se negasse a crescer para ela. Passou a noite inteira agarrada à árvore com todas as suas forças para não cair e chorou e chorou até que o dia clareou. Quando os galos cantaram e ela não conseguiu mais se segurar nos ramos da aroeira-do-mato, soube que sua carne não admitia mais uma só porrada que fosse. Voltou para casa com aquele agora-chega no juízo. Ricardo estava arrumando uma sacola com uma muda de roupa, desodorante e os documentos.

— Aonde vai? — ela lhe perguntou.

— Jogar bola. A partida é em San Javier e vamos ficar para dormir lá — respondeu, passando desodorante como se fosse perfume.

— Volta amanhã?

— Não sei quando volto, Antonia. Não enche.

— Tá certo.

Ricardo se despediu dos filhos e partiu na Fiorino que era seu orgulho e objeto de afeição. Antonia, assim que escureceu e as crianças adormeceram, guardou alguns poucos pertences em uma mala desbotada, desenterrou do terreiro sua caixinha com as economias, despejou algumas maquiagens na bolsa, saiu na ponta dos pés da casa que lhe custara metade da juventude para construir e foi embora sem adeusinhos nem lágrimas. Subiu no primeiro ônibus que partia do povoado, o que fosse o mais distante de San Javier, pois não queria cruzar com Ricardo mas nem por descuido. De um povoado foi a outro mais distante ainda e nunca mais ninguém ficou sabendo dela. As crianças despertaram no dia seguinte e a chamaram aos gritos e depois saíram para procurá-la. Ricardo voltou três dias depois e as encontrou na casa de dona Rita.

Antonia partiu deixando aberto o livro de sua vida para que escrevessem nele o que quisessem. Partiu sem deixar nem uma carta de despedida em cima da mesa e nunca mais se soube dela. Dona Rita a procurou como pôde, falando com conhecidas de outros povoados e não obteve notícias. Ninguém denunciou seu desaparecimento, voluntário ou não.

Ele deu sua versão dos fatos. Que tinha caído fora com outro, colocando-se a si mesmo como a vítima chifruda. Os cretinos do povoado acreditaram na versão do marido abandonado e lamentaram pelas crianças. Namoradas não faltaram para ele, até algumas que quiseram fazer gato e sapato de Irupé e Martín, mas ele sempre as expulsava armando algum barraco e, ao final, eram as crianças que o viam se embebedar todas as noites enquanto comia suas costelinhas engorduradas e seus seis ovos fritos, assistindo aos noticiários sensacionalistas de então.

Agora Ricardo Camacho está absorto em suas caraminholas de homem deixado para trás, apoiado na mesa após jantar, com o vinho branco de caixinha dando ao seu fígado a biritagem que tanto aprecia, arrotando a soda que intercala com o vinho, observando Irupé lavar os pratos em cima de um bloco de cerâmica para alcançar comodamente a pia da cozinha. Observando Martín terminar de peneirar a areia enquanto aquele cachorro que não serve nem nunca servirá para nada o estorva entre as pernas.

— Acerta uma bicuda na cabeça desse vira-lata pra ele parar de encher o saco! — grita ao menino.

— Como assim, dar uma bicuda num cachorro, isso não se faz — responde Irupé.

— O cão é o animal mais traiçoeiro que existe, depois da sua mãe.

Martín ensaca toda a areia peneirada e depois passa a arrumar um caixote de maçãs e alguns trapos que sirvam de casinha para Don José. Já sabe que de noite, quando o pai cair mamado, vai levá-lo para dormir na sua cama. Divide o quarto com Irupé e ela não vai ser dedo-duro.

Uma vez montada a casinha e acomodado o cachorro ali dentro (e Deus queira que não chore), Martincito vai se sentar à mesa para comer a milanesa com macarrão na manteiga e queijo que sua irmã fez para ambos. Jantam em silêncio, porém Irupé, por debaixo da mesa, dá uns chutes fracos nos seus pés, como que dizendo ao irmãozinho que está ali, que ele não se preocupe.

Logo Ricardo começa a ficar meio falastrão.

— Desde quando é amigo de dona Rita, você aí?

— Desde que a mamãe ainda vivia aqui... não lembro direito.

— Desde que a mamãe ainda vivia. É assim que se diz.

— Pai! — interrompe Irupé. — Não fale assim com ele!

— Eu falo como quiser. Foi isso que aconteceu, não foi? Sua mãe está morta ou não?

— Não, não morreu. Foi embora, só isso — diz Martín enquanto chora e mastiga sua janta.

— Então, se aquela filha de uma puta, pois não dá pra chamar aquilo de outro nome, se aquela filha de mil e uma putas der as caras amanhã, vocês a recebem de braços abertos e felizes da vida, é?

— Não sabemos o que vai acontecer — responde Irupé.

— Nada, não vai acontecer nada porque aquela grande filha de uma puta não vai voltar, tá certo?

As duas crianças ficam em silêncio. Ricardo repete.

— Tá certo?

— Sim, papai.

— Sim, papai. Posso me levantar? — pergunta Martín.

— Não. Você fique aqui. Se quiser, você pode ir dormir — diz para Irupé.

Irupé recolhe os pratos, os lava, limpa a mesa com um pano úmido e vai dormir, como uma pequena escrava que se retira para a senzala.

— Não deixe o menino acordado até tarde da noite. Está cansado por ter peneirado toda essa areia.

— Eu, na idade dele, peneirava cinco carrinhos de areia e não fazia tanto barulho.

Martín permanece em silêncio com o olhar baixo.

— Você trouxe esse cachorro pra casa e sei bem que foi você que falou praquela velha vir me perturbar o juízo. Você tem que ir brincar com a molecada, ir caçar pomba com estilingue, não ficar visitando a velha arrombada que manda em você como bem entender. Fica parecendo que sou mau pai e que sua mãe era uma santa.

Ricardo se levanta e vai até o terreiro, a fim de urinar olhando para a rua, como que dizendo aqui estou, mundo, este pinto gordo e enrugado é meu, esse mijo amarelento e hediondo é meu e sou o dono dessa casa, dessas crianças, desse céu e dessa noite. Sabe que ninguém vai passar por ali porque moram no cu do povoado. Aquela rua não tinha nem nome até alguns anos atrás e a batizaram de Pasaje La Piedad. Mas a piedade era uma virtude que não rondava aqueles lares. Ali tinha apenas a vida daquelas crianças que choram às escondidas pelo sumiço de sua mamãe. Que acordam de um pulo escutando gritos das amantes passageiras do seu pai, no meio da poeira, espremidos e breves. Aqui, nestes atoleiros de onde Antonia escapou, estava apenas o coração encolhido daquelas crianças. A piedade tinha ido se esconder muito, muito longe dali.

Sacode o pinto, limpa as mãos nas calças e volta a se sentar à mesa diante do filho, que não saiu do lugar.

— Sabe por que sua mãe foi embora?

Martín faz que não.

— Foi por sua culpa. Porque você não queria ter outro irmãozinho. Ou não sabia que foi por isso?

O menino continua calado. Lá fora o cachorro gane.

— Faz aquele cachorro ficar quieto.

Martín vai até a casinha e o toma nos braços e fica parado do lado de fora, atrás das cortinas de tiras de plástico amarradas com um trapo. Tem uma atitude protetora com o cachorro. Pensa que se o pai tentar fazer mal a Don José, pode escapar correndo pelo morro. Será impossível encontrá-lo de noite. Tem esconderijos secretos aos montes. O morro é seu amigo.

— Não vou fazer nada para o cachorro. Mas quero que fique bem claro de quem é a culpa por sua mãe ter ido embora. Pirralho mimado de merda. Sua irmã, sim, queria um irmãozinho, olha só. E você não quis que tivesse outro moleque aqui em casa. Maricas.

— Eu não falei isso pra mamãe.

— Sim. Ela me falou que você tinha dito que não queria irmãozinhos. Por isso nos últimos tempos andava doente, tomava anticoncepcionais.

A língua fica pesada dentro da boca dele. Chega até ali o líquido espesso da bebedeira dançando na sua cabeça.

— Mas aqui o filho da puta sempre sou eu... sempre eu... e o idiota a única coisa que faz é trabalhar para você ir falar mal do seu pai com aquela velha. Para você ir fuxicar com aquela velha e me deixar fazendo papel de bobo.

Do quarto chega a voz de Irupé:

— Deixe Martín vir pra cama. Já é tarde, pai.

Ricardo olha para ele e ordena:

— Deixe o cachorro aí e vai para a cama... Ou leva a casinha para o lado da cama e cuidado pra que ele não mije, senão quem paga o pato é você e o cachorro.

Martín pega o caixote. Ao passar na frente do pai, para um momento.

— Até amanhã, papai. Bença.

Ricardo faz o sinal da cruz em sua testa.

— Deus te abençoe. Té amanhã.

Entra pela cortina dependurada onde deveria ser a porta do seu quarto.

Já de fogo, Ricardo Camacho pega a tesoura e corta o bico de outra caixinha de vinho, e já é a segunda! E por ali fica até despertar com uma cabeçada na mesa. Deixou o relógio no quarto e não tem ideia de que horas são.

Sai para mijar no terreiro de novo, outra vez em qualquer canto e outra vez, para se limpar, esfrega as mãos nas calças. Cambaleando e xingando entredentes se aproxima do quarto dos filhos. Irupé dorme coberta com um casaco que foi de sua avó apesar de não fazer tanto frio. O menino está de costas para a porta e a casinha do cachorro ficou aos pés da cama. Dorme de calção. Em um momento vira para o teto e geme como se chorasse em sonhos. Ricardo contempla seus filhos balançando no umbral, agarrado ao vão da porta, sentindo náuseas por causa do cheiro de umidade que vem do banheiro sem ventilação. Seu pinto continua a gotejar urina, mas ele não percebe. As calças se molham. Entra no quarto, cobre Irupé melhor e acaricia seu cabelo que é igual ao de Antonia. Está enjoado e o quarto se encolhe e expande para danar com sua vida. Agarra-se ao espaldar da cama do filho e fica um momento se recompondo. Silencioso e alheio a esse quarto como nenhuma outra coisa no mundo. E não somente alheio ao quarto dos filhos, mas alheio às suas vidas. Como se não fosse o pai deles. Martín deixou de gemer e suas pálpebras se mexem como se os olhos, por baixo, estivessem dançando em uma pista de patinação. Aproxima-se de sua cama e o cobre com o lençol. Observa-o dormir por longo tempo e afinal se inclina, apoiando-se no espaldar da cama, e lhe dá um longo beijo na boca. Levanta-se como pode e vai dormir.

Para Martín é como se lhe encostassem o gomo de uma tangerina nos lábios. Por sua cabeça passam estas palavras: a bela adormecida. Vira-se para ver sua irmã e a encontra sentada na cama. Tem a base do abajur sem a cúpula na mão, pronta para parti-la na cabeça de Ricardo Camacho caso demorasse meio segundo a mais a fazer o que fez. Martín muda de cama e dormem juntos. Quando Don José gane, em algum momento da noite, sobem-no para a cama com eles.

A noite não vai permitir que amanheça

Uma boa receita de sushi exige que se use um tipo especial de arroz à venda em qualquer supermercado, grão curto, branco, suave, com alto teor de amido, que dê uma consistência extremamente pegajosa ao saboroso prato. Arroz de uma variedade japonesa dos arbóreo e carnaroli italianos, o mesmo que serve para fazer risotos. Uma vez cozido, seu grão é brilhante e tem uma agradável textura, firme e de bom sabor. Para as travestis pobres, porém, definitivamente qualquer arroz serve, qualquer vinagre, inclusive qualquer queijo, apesar de na China não se misturar arroz com queijo.

Vêm por minha causa, Claudia Rodríguez

Toda vez que minhas economias permitem, faço scones e convido meus amigos para comer. Sou uma travesti parda com algo de senhora inglesa por dentro. Sempre utilizo a mesma receita que minha mãe usava, uma receita da mãe dela que, por sua vez, havia herdado de sua avó. Vendia-os no povoado. As pessoas os arrancavam de suas mãos.

— O mais importante na hora de fazer scones é não amassá-los e ter as mãos frias — dizia.

Convidar meus amigos para tomar chá com scones é o meu pequeno luxo, o luxo das travestis pobres, diria Claudia Rodríguez, "para as travestis pobres qualquer arroz serve...". Ficam idênticos aos de minha mãe não somente porque é a mesma receita, mas porque todos os segredos a favor de um bom scone ela me passou como quem não quer nada, enquanto eu a ajudava na cozinha. É minha herança na vida, diz ela. De modo que estou fazendo scones porque me sobrou algum dinheirinho e quis me dar essa satisfação. De vez em quando tenho fases boas. Existem noites assim, nas quais desço do carro de um cliente e pulo para outro e minha bolsa vai lotando de notas que, se algum outro cliente ou um gavião qualquer não as roubarem, são suficientes para me fazer alguns agradinhos. Compro um saboroso chá em Las Mil Grullas, uma geleia de frutas vermelhas e projeto meu travecosinal no céu para que meus amigos venham ao meu próprio *afternoon tea*. Eles gostam dos meus scones, ou ao menos dizem que sim, e nunca os recusam, muito pelo contrário.

Porém, as noites de sorte são escassas e espalhadas entre milhares de noites tristes, repetidas uma atrás da outra, nas quais o lucro mal chega para um pedaço de pão preto. Épocas do ano em que ser prostituta pesa como um casaco de pedras.

Estou ali, naquela sacada da rua Mendoza, a Julieta travesti, a Eva que discursa para multidão alguma; se aquela sacada falasse, minha mãe do céu, em pleno julho, com umas meias pretas, botas vermelhas e uma jaqueta inflável que mal cobre a bunda. Faz muito frio. É uma noite ideal para pendurar as luvas, mas resisto, pois suportar acaba virando um hábito. Não é por nenhuma inteligência em especial.

Não parou um só incauto a noite toda, passa muito pouca gente por essa rua de luzes amareladas. Mais cedo, no edifício em frente que me tapa o sol, teve uma festa. Agora, às três da manhã, a rua está morta.

Vejo um automóvel vindo a dois quarteirões. Uma coisa parecida com esperança sobe pelas minhas pernas. Todo carro a distância é um possível cliente. Que seja um cliente, que seja um cliente. Parece um carro novo e vem para cá. Mas é preciso ainda que não dobre na 9 de Julho, que continue até onde estou, na sacadinha do andar térreo que é a minha vitrine de Amsterdã. O carro avança e não dobra na 9 de Julho, melhor ainda, parece que diminui a velocidade. Isso mesmo, bem devagarinho. Um carro novo, lustroso, um Peugeot 307. Dentro vêm quatro rapazolas de uns vinte e cinco anos, o tipo de garotão bonito que dá gosto enganar. Estacionam em frente à minha sacada.

Um bota a cabeça pela janela.

— Que tal dar um presente para nós?

— Não dou presentes.

— É que o meu amigo vai para a Itália e a gente quer que ele leve uma bela lembrança.

— Só que presentes são pagos. — Dou a volta, mostrando minha linda bunda de serrana.

— Quanto?

Digo meu preço avaliando a pele, a marca de sua roupa. Me responde:

— Mas nem que a sua seja de ouro.

Encolho os ombros e olho em outra direção. Ignoro-os. Passa um homem de bicicleta por trás do carro deles. Olha para mim, olho para ele. O homem sustenta o olhar apesar de eles estarem ali. Já o atendi em outras ocasiões, sai do seu trabalho no posto de gasolina da esquina da Colón com Neuquén, a uns seis quarteirões de casa.

— Troca a gente assim tão de boa? — diz um de dentro do carro.

O homem desce da bicicleta e continua muito devagar a pé. Os que estão no carro parecem ciumentos. Deliberam entre eles e finalmente um diz:

— Bem, não vamos mais roubar seu tempo. — Arrancam. Escutam-se gargalhadas dentro do carro.

Espero que o da bicicleta volte, fora que é um bom cliente. Mas não volta atrás de mim.

Em quinze minutos retornam os que querem o presente. Queixam-se, lamentam não ter dinheiro, apesar de eu ver que eles têm, dá para perceber pelo carro, a roupa, o tom quando falam comigo, a pele, os relógios.

— Vamos levar você para um condomínio fechado — me diz o motorista aos gritos. — Isso deveria ser mais que suficiente.

Suficiente para quê, me pergunto, como se eu pudesse pagar o aluguel dizendo que visitei um condomínio fechado. Finalmente, entre idas e vindas, pechinchando como num bazar, chegamos a um acordo que parece razoável. Nessa hora acho que o negócio é aceitar o que vem, sem olhar os dentes do cavalo dado, então que sejam dez pesos. Ao fracassar como prostituta, aproveite a onda, que não vai se repetir. Além disso, esses rapazinhos bem alimentados são bonitos. Se a coisa acontecesse num bar e eu estivesse de civil, certeza de que me deitaria com os quatro juntos e não lhes cobraria nada.

Antes de sair, pingo algumas gotinhas de perfume e levo na bolsa um pouco de base, no caso de o esfrega-esfrega sexual me arruinar a maquiagem. Sento na frente, nas pernas duras como um tronco do que me disse "nem que a sua seja de ouro". Ele imediatamente encaixa sua mala no buraco negro que existe entre minhas nádegas e se roça todo.

— Cuidado para não se espetar nos bigodes — diz um do banco traseiro.

— Ei, tratem a minha namorada bem — diz o que dirige.

Já me sinto arrependida de ter subido. Vão escutando música regional, a toda. Faz calor dentro do carro, pois o aquecedor está ligado. Sinto escorrer a transpiração pelas pernas, as costas completamente molhadas e não sei onde está a personagem da comerciante de carne capaz de lidar com gente como essa. Onde ela está quando mais preciso dela. Procuro-a dentro de mim e não a encontro. Só estamos a travesti que precisa juntar dinheiro para pagar alguma parte de todos os meses de aluguel que deve e a esbaforida que vai transar com os filhinhos de papai em um condomínio fechado.

Lá de trás, um tira a camiseta e mostra o abdômen que parece feito de paralelepípedos.

— Veja só quem vai te comer. Tá gostando? Somos jogadores de rúgbi.

— De que time?

— Não fala — interrompe o que dirige.

Eu, que vou em cima do deformado que me prega no cu seu pinto duro como uma ameaça, não posso admirar por completo o corpo do que se exibe. Tenho vontade de vomitar porque os quatro estão fedendo a perfume. Isso é como meter a cabeça num balde cheio de desinfetante odor algodão. Me aterroriza pensar que esse fedor pode ficar grudado nas minhas narinas para sempre.

Dirigem a toda a velocidade, falam sem parar, riem às gargalhadas, me obrigam a lhes passar a mão ali mesmo no carro. Obrigam o mais dotado dos quatro a exibir para mim o luxo que carrega dentro das calças. Vangloriam-se de ser amigos de muitas pessoas famosas, dizem ser íntimos de Flor de la V, da Pachi, de María Laura, mas tudo o que dizem soa a mentira. Buzinam para assustar pedestres. Passam raspando pelos motoqueiros, insultam os garis na avenida Caraffa. Dirigem em zigue-zague, cantando aos gritos coisas como: "E foram minhas mãos que escreveram a carta para você e meus dedos que armaram a arapuca". Engulo saliva e penso que deveria ser mais dedicada ao meu trabalho, que deveria sair com mais regularidade. Me recrimino por não saber ganhar dinheiro como prostituta, por ser melindrosa, pois se não gosto do cliente prefiro passar longe, porque se estou com sono, prefiro ficar dormindo. Tanta frescura para sair para trabalhar e sempre, invariavelmente, chega um momento do mês em que os piolhos começam a me comer viva e tenho que recorrer a coisas como estas. Estar num carro com imbecis como esses, indo a um lugar que não conheço para fazer sabe-se lá o quê.

São três e meia da manhã quando chegamos à casa do condomínio. Ainda acredito que posso lidar com a situação, que tenho tudo sob controle, para onde viemos, por onde sair. Sou forte e estou sóbria. Esses ricos garotos estúpidos não podem fazer nada comigo. As portas da casa estão abertas de par em par e se escuta música eletrônica a todo volume. Não há vizinhos por perto. Dentro da casa tem mais quatro fulanos, a julgar pelo tamanho, também jogadores de rúgbi. O sonho de toda biscate da cidade. O sonho de meus amigos veados e também um pouco o meu. Uma suruba com garotos bonitos. Ser a única fêmea entre todos esses orangotangos com mocassins Gola e camisas Key Biscayne.

Na sala de estar, a escultura de uma moto antiga brilha em cima de uma mesa de centro escura e velha. É uma casa estranha. Tetos altos, portas enormes e pesadas, paredes de pedra. Me contam a história de sua estranheza: já foi uma igreja. Agora, convertida em casa, toda a sua sacralidade, todos os espíritos santos que a habitavam morreram comigo. Minha mera presença basta para profanar toda a beatice que tenha permanecido flutuando pelo lugar. Eles, entretanto, procuram perpetuá-la. Falam do valor da propriedade, da madeira das vigas, dos anos que tem o palo verde da entrada. Em cima da mesa da sala de estar tem uma coleção de drogas de todo tipo, a droga que se imaginar está diante de mim. Alguns andam de cuecas porque faz muito calor ali dentro.

— A casa tem piso aquecido — me diz o que dirigia o carro em que viemos, que parece ser o dono.

Me oferecem o que quiser da mesa.

— Quero cocaína — lhe digo. Nada de andar perdendo a cabeça.

— É mesclada com anfetamina. Experimente — me diz o aparente dono da casa. Experimento e é suave, desce feito água.

Desde que vivo em Córdoba, estou perto de igrejas e colégios religiosos. Agora me drogo em uma igreja convertida em casa junto desses corpos de rinocerontes cheios de cicatrizes e hematomas, cheirando cocaína com anfetamina e esperando para fazer meu showzinho. Dois deles expõem sua queixa: trouxeram uma travesti em vez de uma mulher. Ainda por cima não está operada e seu nariz é horrível. "Olha os peitinhos dela, não, obrigado mas não". De maneira que o grupo a ser atendido se reduz a seis rapazolas ansiosos e drogados fazendo de tudo para se portar mal comigo. Me levam para um dos quartos, o quarto de papai e mamãe, os donos da casa.

— Só posso lhe oferecer água para tomar. Acho que não vai gostar do que a gente toma, são os vinhos do meu pai.

Não sei o que responder a isso, de modo que dou de ombros e o sigo até o quarto. Me conta que a cama, ou o quarto, não recordo bem, é giratória e procura o sol.

O primeiro round é com três de uma só vez. Dois que não estavam no carro e o que se preocupou com meus bigodes. Estão em tal estado que mal conseguem manter o equilíbrio. Tentam fazer alguma coisa com aquelas picas desacreditadas, que por mais bonitas que sejam não lhes servem de nada, e tudo se resume a umas mãozadas e lambidas, muito profissionais, claro. Noto que o que se preocupou com meus bigodes aproveita a mistureba de carnes para acariciar a bunda de pedra do seu parceiro no quarteto. Eu estou encavalada em cima de um deles, tentando deixar duro um pinto que tem a consistência de uma pasta, e de rabo de olho vejo como o rapaz passa distraidamente a mão por minha pica, pela pica do que está debaixo de mim e a pica do que está perto de mim. Em um momento atravessa por cima do seu amigo com a desculpa de me dar um beijo mas finge cair em cima do que está debaixo de mim e mete um linguadaço no pescoço dele. Assim não dá para trabalhar.

— Que isso, meu, quer roubar o meu trabalho? E logo na cama dos pais desse aí? Mas não é que temos duas atrizes nesta cama e ninguém me falou nada? — Assim se desmascara um aproveitador.

O que estava debaixo de mim se levanta e diz:

— Que nojo, você me passou a língua, seu filho da puta! — e se limpa com a mão.

Fico satisfeita por tê-lo desmascarado.

O oportunista não diz nada, finge estar bêbado demais. Está mentindo, sei disso, não estava assim quando cheguei, não deu tempo para ficar tão bêbado assim.

O outro se levanta, espantado. De repente sua bebedeira passou por completo.

— Você é impossível, sempre faz a mesma coisa, maluco — diz para o mão-boba e sai pelado pelo corredor.

Enquanto isso, o que recebeu o linguadaço também fica de pé e o chacoalha, o empurra e cai da cama.

— Fora daqui. Vai nessa, depois você vem sozinho.

O mão-boba se faz de ofendido, dizendo como podem acreditar nesse traveco e não em mim. Veste a cueca e sai se segurando pelas paredes. O que fica comigo na cama termina por se render ao fracasso de sua ereção. Estão condenados ao fracasso em cada tentativa de ereção pela vida toda, penso com malícia. Que a pica deles nunca mais pare em pé. Lanço a maldição sobre eles com toda a minha força para que se cumpra.

Balbuciando, perdido na bebedeira, me acusa de ser feia, de não o excitar, de não trabalhar a favor de sua ereção. A música eletrônica incomoda até com as portas do quarto fechadas.

O dono da casa traz um consolo. Joga o impotente da cama com suas pernas de touro, que cai e fica adormecido no piso. Este parece ser um pouco menos idiota que os demais. É um moreno delicioso, com sardas e olhos verdes. Tem as pupilas enormes. Suponho que o consolo seja da mamãe, pois o trouxe do banheiro do quarto. Pede que o penetre com aquilo. Com um pênis lustroso e preto com o qual com certeza a mãe também se masturba. Me multiplico, não tenho mais mãos, tenho tentáculos, mil bocas, sou todas as prostitutas numa mesma cama. Faço uma gulosa nele, enquanto o penetro com o consolo de sua mamãe e lhe acaricio os ovos como se esfregasse a cabeça de um cachorro. Sou a prostituta-orquestra. Por sorte, esse sim tem uma senhora ereção o que torna tudo um pouco mais divertido. Já não penso tanto em como me desfazer deles e daquela experiência incômoda. Lá fora, entre o bate-estaca da música, escutam-se gargalhadas. Eu, como sempre, acho que estão rindo de mim.

O segundo round é com o que me trouxe sentada no colo. Enfim conheço o pinto que me ameaçou a viagem inteira. Não é grande coisa, mas cheira bem e é claro, douradinho. Atravessa minha lembrança a imagem da Cândida Eréndira torcendo o lençol onde se depositou a transpiração dos seus clientes. Pela janela, do lado de fora, todos os demais observam e filmam. Tiro o peixinho dourado da boca e me afasto.

— Por que não avisaram que iam filmar?

O que está na cama não diz nada. De fora, o dono da casa me grita perguntando quanto cobro para me filmarem. Subo o preço quase para o dobro e eles aceitam. Nem aí, o que é que me importa.

Quando a questão se encerra, o grupo de hienas se desmantela. Me visto no quarto giratório e prometo a mim mesma nunca mais me arriscar assim. Nunca mais. Ao sair do quarto, os rapazes me aguardam, não somente os rapazes, mas também três ou quatro garotas que chegaram enquanto eu posava como uma atriz pornô terceiro-mundista.

— Vocês não podem pagar por essa esculhambação — diz uma das garotas enquanto prova do mesmo mesclado que eu provei.

O dono da casa diz que não pode me levar para a pensão e que como não atendi a todos, não me pagarão o que foi combinado. Eles têm menos dinheiro do que pensaram.

— Ainda por cima vai ter que lavar o vestido da minha irmã, que vomitou em cima dele, a idiota. — Todos soltam sua risadinha de merda.

Calço as botas como posso, em silêncio. Eles aumentam o volume da música e começam a pular e a dançar. Um deles pula na minha frente como um orangotango e grita, suponho que seja um grito de jogador de rúgbi antes da partida. Enquanto isso, tento subir o fecho da bota que é pequena demais para mim. Me ergo com muita dignidade e saio em silêncio pela porta antiga dessa santa igreja de merda, levando comigo uma garrafa de vodca, e apesar de serem tão ricaços, é uma vodca que se compra em qualquer supermercado. Desço pelas ruas cheias de pedras e passo pela entrada do condomínio fechado. O guarda me cumprimenta com a mão e um sorriso amarelo que me dá uma onda de calor. A noite não vai permitir que já amanheça.

Faço com que um entregador de pães, a quem pago com uma esmerada gulosa que cheira a biscoitinhos e a *medialunas* recém-saídas do forno, que me leve até o centro.

Ao chegar na pensão, deixo sobre a mesinha de cabeceira um relógio que tem pinta de ser muito caro e que encontrei do lado da cama, debaixo de um almofadão bordado jogado no chão. Enfiei-o na calcinha. Foi como enfiar um cubo de gelo. De manhã, vou até a galeria Planeta vender o relógio ao preço que o comprador oferecer. Nem sequer vou pechinchar. Para mim está de muito bom tamanho esse dinheiro. Não me assusta que eles possam ir até a pensão para pedir o relógio de volta. Em geral, nunca se queixam dos meus roubos, nem fazem nenhuma denúncia. Desconfio que a reputação deles valha mais.

Faço as contas do que me resta pagando alguns meses de aluguel e concluo que foi uma noite de sorte. Compro tudo o que necessito para fazer scones e coloco crédito no meu celular. Mando mensagem de texto para os meus amigos: hoje de tarde, chá com scones em minha casa.

O outro segredo para que os scones fiquem levinhos e bem fermentados é deixar a massa resfriando na geladeira ao menos por uma hora. Não falha. Deixar repousar a massa na geladeira e não amassar, simplesmente unir.

Sou uma tola por te querer*

Era uma beleza. E vocês dirão: como é que uma puta velha, negra, alcoólatra, desdentada, ex-presidiária, viciada em heroína e rançosa poderia ser uma beleza? Ah, eu diria... putas velhas dessa estirpe, conhecemos muitas, também belas *ladies*, claro, milhares de mulheres assim, mas nunca tão belas como Billie. Duas garotas como nós, sabem como é, "duas garotas especiais", como costumávamos dizer aos garotos que nos perguntavam sobre o que ia no meio de nossas pernas, garotas de noite e tímidos bichinhas de dia, não tínhamos muita oportunidade de conhecer outro tipo de mulher. As putas velhas, desdentadas, risonhas e ardidas como pimenta *habanero* eram nossas amigas, as garotas de todos os dias; nós as penteávamos grátis, as maquiávamos grátis, lhes dávamos conselhos sobre o coração, a cabeleira e o rabo e as abraçávamos com bondade. Esperávamos que até a última cliente do salão de beleza tivesse ido embora e botávamos

---

* Nota da autora: recomenda-se agora escutar *Lady in satin*, do princípio ao fim, em um quarto, a sós.

para dentro todas as desprotegidas, mães solo, viúvas, que necessitavam de nossas mãos para devotarem um instante à formosura. Não importava quão cansadas estivéssemos, minha amiga e eu que somos, como se diz, as protagonistas desta história. Depois fechávamos (éramos de confiança e tínhamos a chave) e ali não tinha acontecido nada.

Sobravam temperamento e energia para socorrer aquelas damas dissolutas da feiura ou do abandono. Pessoas decentes, graças à Santíssima Virgem de Guadalupe que nos protege, conhecemos muito poucas. E não é que estivéssemos distantes da comentada decência, éramos garotinhas ingênuas no fundo, como se nosso pecado não nos eximisse da inocência. Mas não acontecia de conhecermos homens decentes. As pessoas muito disciplinadas, muito obedientes, não apareciam em nosso caminho. Para escapar da miséria, as damas decentes aceitavam todos as obrigações e porradas e contendas das famílias às quais eram obrigadas a pertencer. Às vezes as penteávamos e recendia do seu couro cabeludo aquele rancor de amoníaco por não poder renunciar aos seus colares de pérolas autênticas que pendiam dos seus pescoços, pesados como grilhões. As Goldman, as Rosemblat, as York, essas mulheres eram muito aborrecidas e, nas poucas ocasiões que cruzavam conosco, olhavam-nos com muitíssima desconfiança. Enquanto as penteávamos, apertavam suas bolsas contra os peitos insignificantes como se fôssemos capazes de ficar com algo alheio. Às vezes me dava vontade de dizer a elas: "Escute, dona, a única coisa sua que eu poderia pegar é o seu marido".

Em seguida, lembrava que os caras eram feios pra danar e minha chateação murchava. Mas é que ficam amedrontadas por ninharia. Sobretudo essas velhas. Bem, não, me corrijo, na verdade todos nos temem ou nos odeiam, não vou mentir para vocês. Não se pode dizer que o ódio seja coisa das damas de sociedade de Nova York, vá lá, o ódio que sentem por nós é um patrimônio da humanidade.

Billie, por outro lado, não olhava para nós com medo. Era um amor. Um verdadeiro amor. E, se penso bem, a verdadeira dama de sociedade era ela. Dizia "querida", "doçura", "amor", "meu céu", usava todas essas palavras para se referir a nós. Era de levar qualquer um às lágrimas.

Ava é a outra protagonista desta história. Minha amiga, minha irmã, minha sócia de tesouras e bobes (tinha se batizado assim em homenagem a Ava Gardner, nem é preciso dizer). Nos conhecemos da mesma maneira que conhecemos Billie. Em uma boca de fumo do Harlem, numa noite de inverno gringo. O brilho da donzela reluziu em nossas pupilas assim que a vimos e desde então não nos separamos mais. Ava sempre chorava quando Billie lhe acariciava o cabelo e lhe dizia com aquela voz tão quebradiça e aquele hálito fatal de álcool e cigarros que tudo melhoraria algum dia, querida, que o mundo mudaria, meu céu. Era coisa de louco, pois dizia isso com tamanha convicção que chegava a parecer algo certo. E ela, assim como nós, sabia que o mundo tinha muito a melhorar, muito a fazer, muito que reverter. Que não era nada simples. Contudo, mentia para nos alegrar e isso era melhor que o amor.

Como foi que a conhecemos? É dos assuntos que fazem crer que se tem um porvir, algo reservado somente para você como as impressões digitais. O destino, dizia Ava, que tê-la conhecido fazia parte de nosso destino. Éramos muito assíduas no Harlem apesar de sermos da Cidade do México. Gostávamos de ir de noite ou quando começava a escurecer porque a barba fica mais bem disfarçada sob as maquiagens, e além disso porque nas bocadas estavam os negros que tinham entre as pernas malas valiosas como tesouros de milhares e milhares de quilates. Pensávamos em todo o valor que havia na mala de um negro, os rubis, as esmeraldas, as pérolas que podiam ser encontradas ao abrir suas braguilhas que eram como um cofre, como um baú fechado a sete chaves, e bem... não quero ser vulgar e muitíssimo menos óbvia explicitando o que íamos procurar no Harlem.

Com Ava aprendi que, para os homens, os escrúpulos contra bichas e travestis viravam espuma quando pitavam maconha ou passavam da conta no rum. Todos diziam não, não, não, com travestis jamais, até que batiam as três ou quatro da manhã e as mulheres caíam foram com os brancos. Aí sim, davam um aceno quase invisível que só a gente entendia para segui-los por algum beco ou para levá-los para o nosso apartamento.

E levamos negros de tesouros suntuosos até nossa casa de dois pisos governada pela preta que nos estragava, Mamma Mercy, a negra dos nossos corações. Uma gorda maciça a quem faltava o dedo indicador da mão esquerda. Decepou-o sem querer cortando abóboras para o Halloween na casa de uns ricaços de Manhattan. Colocaram-na no olho da rua com a mão enrolada em um lenço que a duras penas continha a hemorragia e o dedo num saco de papel, e nunca mais voltaram a abrir a porta para ela. Decidiu se mudar para o piso térreo da casa e alugar o piso superior para senhoritas. Mas não teve sorte e as senhoritas escapavam na metade da noite devendo-lhe dois, três, cinco meses de aluguel. Mamma Mercy era generosa e nunca recorria à força bruta nem contratava capangas para cobrar o que era dela, de modo que sempre acabava sendo enganada por alguém, a grande otária. Ava e eu chegamos até sua porta atraídas por um anúncio grudado na vitrine de uma farmácia. Dissemos a ela que tínhamos trabalho como esteticistas num salão de beleza em Manhattan; convidou-nos a entrar e já nos sentimos como que em casa.

— Duas bichas soltas em Nova York! — gritou no dia em que nos instalamos no andar de cima, onde tínhamos banheiro próprio com banheira e janelas que davam para um pátio interno no qual reinava uma nogueira.

Oh! Mamma Mercy! Podia apostar meus lindos olhos de índia que vocês nunca provaram guisados melhores do que os preparados por Mamma Mercy.

Em matéria de paixões, Ava sempre tinha mais sorte que eu. As pessoas pensavam que era tola porque ela quase não falava e sempre era preciso chamá-la duas ou três vezes para que prestasse atenção. No começo também pensei que era bastante descompensada, a pobrezinha. Um mariquinha tão belo e silencioso, que se desculpava por tudo e pedia licença, com aqueles dedos longos e finos que pareciam agulhas de tricô. Depois entendi que de tola ela não tinha nem um só fio de cabelo. Aprendera a se desligar deste mundo e a se proteger dentro de si como se estivesse num palácio. O único assunto que a mantinha presa às questões terrenas era sua beleza. Todas essas gerações de alemães que a precederam e forneceram os olhos mais azuis do mundo lhe asseguravam bons amantes. Uma travesti assim, com olhos tão claros e a pele mais branca que o leite que tomávamos no café da manhã, tinha o céu conquistado no quesito homens.

— Chega mais, branquelinha — lhe diziam os latinos do pedaço, quase lambendo suas orelhas, mas ela não os escutava, passeando pelos salões de si mesma.

Já eu sou uma baixinha de cintura larga, que gostava e continuo a gostar demasiado de padarias. Minha única vantagem nisso de travestismo é que quase não tenho pelos em lugar nenhum. Herança indígena, acho. Mas nunca fui uma preciosidade nem coisa do gênero. E os homens se encarregavam de me deixar ciente disso.

Às vezes fingia dormir depois de voltar para casa dos antros do Harlem, sozinha como uma cachorra. Ava entrava no quarto com um preto de pele brilhosa, digamos de um metro e noventa, um metro e oitenta, e abria o biombo em busca de privacidade. Nossas perucas (de cabelo natural, é claro) repousavam na cômoda em cabeças de manequim e nossos vestidos ficavam todos escondidos entre a estrutura da cama e o colchão. Às vezes, o negro em questão notava que havia alguém do outro lado do biombo, porque eu, sem querer, tossia ou rolava sobre os lençóis ásperos. Estavam tão bêbados que eu poderia estar escrevendo à máquina que para eles daria tudo na mesma. Contudo, só às vezes, o negro que notava minha presença do outro lado do biombo dava marcha a ré na ereção do seu tesouro e dizia:

— Quem está aí?

— É a minha irmã — ela respondia.

— Por que não a desperta para nos acompanhar?

— Está dormindo. Não a incomode — dizia Ava, que era mesquinha com seus negros e não os emprestava jamais.

E quando o negro tirava a camisa eu podia respirar todos os segredos que escapavam daquela pele, aquele chocolate mais saboroso até do que o feito pela minha avozinha, que foi uma mãe para mim e descanse em paz, e quando Ava tirava as calças dele com uma rapidez assombrosa, eu respirava também todos os odores que emanavam ali debaixo. Ava era muito limpa. Levava-o até a cômoda onde ficavam as perucas e juntava água de um latão com a mão e esfregava as bolas do negro eventual com um pouquinho de sabão até fazer espuma e despertar aquele tesouro de rubis e dobrões que ganhava mais e mais tamanho até virar uma espada que ela metia inteirinha na boca. Como um faquir, sem pestanejar nem soltar uma lágrima. E quando a penetravam na cama, eu escutava como ela pedia por favor que não a fizessem gritar.

E quando ela dizia isso, os negros a penetravam com mais força e ela não se importava com a dor. E eu sentia a minha entreperna, onde não havia nenhum tesouro, começando a ficar mais e mais dura, e me odiava por isso, pois odiava minha pica quase tanto quanto odiava a mim mesma.

Mas isso foi antes, antes de Billie. Antes de conhecê-la, tinha guardado dentro de mim um sentimento como esse. Quando ia urinar, olhava o vão das minhas pernas e pensava: te odeio, te odeio tanto, toda a minha tristeza é por tua culpa. Te odeio tanto que te cortaria com uma tesoura de poda. Agora não o trato mais assim. Agora, inclusive, quando tiro a roupa e olho meu cacete pendurado, digo-lhe que o quero bem, te perdoo, não quis dizer nada daquilo.

Já contei a vocês qual é o meu nome? Não, não contei. Me chamo María, como minha avó. Que na verdade sempre foi minha mãe, porque foi a mulher que me criou e levou pela mão para ver os fogos de artifício da virada de ano para lá de trinta quarteirões do Zócalo, na Colonia San Rafael, onde cresci. Minha mãe se casou com um gringo quando eu tinha doze anos, foi viver na Califórnia com a promessa de voltar para me buscar no ano seguinte, porém nunca mais voltamos a vê-la. Vivi com minha avó até fazer dezessete. Um dia, levei para ela o café da manhã na cama e a encontrei morta, com aquele ar beato na cara de quem morre adormecida. Era uma morte muito justa, pensei. E aquele pensamento me distraiu o suficiente para não derramar uma só lágrima.

Sem nada que me prendesse ao México, vendi o pouco que tínhamos; tive senhores amores com qualquer bom homem que cruzasse pelo caminho, até que juntei o dinheiro para a passagem de avião e acabei em Nova York trabalhando como aprendiz nos cabeleireiros do Harlem.

Meu primeiro grande professor foi uma bicha porto-riquenha, a quem chamávamos Tucán porque tinha o nariz enorme e ganchudo e revoava ao redor da cabeça das freguesas agitando os braços como uma perua histérica. Tinha uma clientela elegante e seleta, o clube das velhas socialites que cortavam o cabelo apenas com um maricas como ele.

— Você pode pentear mil estrelas. Pode ter o cabelo de qualquer estrela de cinema nas mãos, fazer com que qualquer uma delas se sinta bonita. No entanto, só se aprende a ser *coiffeur* com o cabelo das negras — dizia. — É preciso alisar um cabelo desses, um encaracolado tão rebelde que não estica mas nem com lágrimas. Aprende-se de verdade a arte da cabeleireira botando bobes nas negras, pois trabalhar com esse cabelo, que é basto e muito, mas muito enrolado, é o mesmo que trabalhar com as coisas impossíveis do mundo.

Tucán não só me ensinou como ser uma boa cabeleireira. Me ensinou a ganhar o afeto das freguesas com meus chocalhos, sempre uma serpente emplumada girando ao redor de suas cabeças com três cabelos malucos. Me ensinou a ganhar boas gorjetas e a sobreviver à pressão de Nova York sempre com um sorriso, sempre simpática com *tutto il mondo*. E me ensinou como ser bicha nesse país de gringos sem morrer na tentativa. É só me lembrar dele que fico emotiva. As tristes reverências feitas ao mundo para que não me matassem, as horas sangrando em alguma esquina após uma surra, as dores de um latino aqui, na terra prometida, vocês podem imaginá-las, mas não são bem assim como as imaginam. Tudo é parte de um passado que digo que está morto, bem mortinho em algum canto do meu coração. E depois veio a vida na casa de Mamma Mercy, ou a vida com Ava, ou a vida com Billie.

Como sou latina, os negros não prestavam muita atenção em mim à luz do dia. E quando me vestia como um simples rapaz, olhavam para mim como sendo apenas mais um. Negros e latinos, éramos a mesma merda então. Tínhamos que nos esconder e nos proteger entre nós como uma confraria, e por isso acredito que não lhes despertava demasiada atenção. Nem minha pele, nem meus traços, nem meus olhos *tapatíos* que herdei de minha avó santíssima. E quem poderia julgá-los. Os negros queriam migrar, conhecer outras peles, ver sua pele contrastando com a pele das branquelas. E é por isso que eu não tinha tanta sorte quanto Ava.

Pobrezinha da Mariíta, sem amor e sem ternura, a deixaremos na rua para viver sua desventura...

As bocas de fumo sempre foram um pedaço do céu. Ali podia ser encontrada toda uma fauna selvagem e sempre em perigo de extinção, não se cruzava com essa gente nem na rua nem nos bares de jazz, muito menos à luz do dia. Negros, travestis, putas, bichas, homens sem pernas ou sem braços que voltavam da guerra, gordas elefantinas, anões, orientais. Dava para se sentir em casa. E, de tudo aquilo que acontecia ali, o melhor era que os brancos eram estrangeiros. Pela única vez em suas vidas os brancos se movimentavam com respeito. Nas bocadas não se achavam melhores que ninguém, como faziam em todo o resto do tempo. Os brancos nos antros de maconha do Harlem não eram donos de nada, andavam sempre com medo de que os negros lhes quebrassem a cara. Em mais de uma ocasião caíam fora dali com um talho na cara ou sem um centavo nos bolsos. Esnobes sempre existiram em qualquer época, e também estavam por lá. Os brancos escritores, as atrizes da Broadway, alguns políticos iam ao Harlem para escutar jazz e se perdiam em nosso inferno sem pontos cardeais, nem céu, nem chão.

Nós não gostávamos muito de jazz, mentir para quê. *Very boring*, céus! Creio que no fundo éramos umas bobas. Aquela música impossível de cantarolar, aqueles biripbududurabap, aqueles trompetes que faziam a cabeça doer. Não, não era música para nós, ou ao menos para mim, que vinha só das rancheras, dos corridos e boleros. Música que nascia do calor. Mas gostávamos dos negros que tocavam os instrumentos e dos mafiosos negros que iam escutar noite após noite aqueles barulhos do diabo. Tururú, dabadá, piripiriparadabdiribá. Depois a conhecemos e aquela música que nos parecia tão distante e difícil de cantar virou familiar, soava para mim tão bonita como as canções que minha avó cantava ao moer café. E gostamos dela. Não de tudo quanto é jazz, mas dela sim.

Certa noite fomos com Ava a uma boca de fumo no andar superior de uma casa no centro do Harlem. Era a primeira vez que a visitávamos. Estávamos bêbadas de bourbon contrabandeado, a melhor receita para se recuperar de uma ressaca que nos deixara o dia inteiro na cama. O fato de não conhecermos o lugar nos deixou recatadas, e a timidez deu vontade de beber. Não passava de um apartamento desmobiliado, com só um banheiro que não fazia distinção entre cavalheiros e damas e uns janelões cobertos com pesada cortina de pano grosso. Ali estávamos, jogadas num sofá muito velho, com vestidos bem fora de moda, remendados em todas as costuras das costas e da cintura para que coubessem na gente. Com dificuldade rapinávamos uma conversa entre duas putas que se aboletaram perto de nós. Uma contava à outra como tinha mordido sem querer o caralho de Frank Sinatra e como ele, sem ao menos dizer "agora-pronto", a esbofeteou. A fofoca foi interrompida por um alvoroço subindo pela escada. Pensamos: "É a porra da polícia, chegou a nossa hora". Como sabem, não é nenhuma novidade o que acontece quando a polícia prende duas garotas como nós. Ava virou seu copo de uísque de um só trago e brindou comigo.

— Foi uma boa vida contigo, mana — falou.

Abracei-a sem poder dizer o mesmo. Eu pensava que a vida tinha sido uma merda e que o mundo era uma merda, mas não falei nada porque não queria arruinar sua solenidade.

De repente ouvimos a gargalhada de alguém cuja voz nos pareceu muito familiar. "Agora vamos escutar os tiros", pensei, mas não. Escutou-se uma voz muito muito cansada, suave demais, como um tilintar de latas derrubadas que subia pela escada. Primeiro apareceu Louis Armstrong, senhoras e senhores, Louis Armstrong em pessoa, e logo atrás, uma dama. É preciso falar assim porque não cabe outra palavra, uma dama em um vestido branco de cetim bordado com pedrinhas brilhantes que reluziam mais que qualquer mala de negro que andasse por ali.

Era Billie Holiday.

Ao escalar o último degrau, o salto dela se enroscou no vestido finíssimo que usava, ou talvez tenha sido no casaco de pele que ia arrastando no chão como se não valesse nada, e desmoronou. Eu, com meu vestido todo remendado e fora de moda, de um pulo, não sei como, por teletransporte, fiquei de pé e a segurei nos braços, impedindo que caísse de bruços no piso. Parecia que um feitiço tivesse suspendido a vontade de todos os presentes, até mesmo Armstrong ficou ali paradão sem entender porra nenhuma.

Ao se agarrar em mim como deu, as mãos dela roçaram minha cabeça e a peruca se deslocou, deixando metade da testa e minhas entradas, ai!, minhas entradas de homem à vista!, e as pessoas desataram a rir.

— Que foi, amorzinho, o feitiço passou?

— A Cinderela virou homem!

Ouvia as piadas vindo de todos os lugares como se fossem golpes de espada.

— Chega! — supliquei. — Não façam isso!

Ava correu para ajeitar minha peruca e Billie Holiday olhou para todo mundo com um ódio tão nítido que parecia fumaça saindo dos seus olhos.

— Ouçam bem, suas partículas de merda. Se alguém voltar a rir desta dama, vai voltar pra casa sem as bolas — gritou.

Armstrong voltou a rir, começando a papear com as putas fofoqueiras, e Billie Holiday acariciou minha bochecha e me falou: "Obrigada, querida". Ela veio se sentar no sofá com Ava e comigo. No bolso do seu vison tinha uma bolsinha de couro cheia de maconha perfumada, mais perfumada do que ela, e começou a enrolar um baseado para fumar com a gente. Ao terminá-lo, gritou:

— Ei, Bupa! Fogo!

Armstrong se aproximou balançando um isqueiro que devia valer mais que toda a minha vida inteira e acendeu o baseado na minha boca como um verdadeiro cavalheiro, o gesto mais doce que um homem já tivera comigo num lugar como aquele.

— Senhoritas — falou, e tirou seu chapéu.

— Apresento minhas amigas, elas são...

— Ava — falou minha amiga com a bunda em um grito.

— María — eu disse e estiquei a mão para lhe dar um apertão, mas ele a tomou e deu um beijo.

E juro pela luz que me ilumina que nem eu nem Ava, grandes rastreadoras de tesouros em braguilhas, olhamos para o vão de suas pernas. Ficamos entontecidas, seu sorriso, sua voz, seu chapéu, sei lá. Estávamos sentadas com Billie Holiday e Armstrong em pessoa tinha acendido um baseado em minha boca. Alguém com poder, com elegância, com prestígio intercedeu por minha dignidade.

La Holiday passou a noite inteira com a gente, perguntou onde vivíamos, de que tipo de comida gostávamos, se éramos travestis em tempo integral (apesar de não lembrar se foram bem essas as palavras que ela usou). E quanto calçávamos, se não gostávamos da maconha dela, se tínhamos algum disco dela, se já tínhamos escutado ela cantar, se tínhamos vontade de ir comer com ela, se podíamos fazer seu cabelo alguma vez para uma das suas apresentações, se não gostávamos de jazz e onde tínhamos arranjado nossos vestidos, e como era possível ter tanto mau gosto, que nossos vestidos eram um espanto, que ela tinha muitos vestidos que não usava e nos daria de presente para que não andássemos com aqueles trapos remendados. Riu, se emocionou, bebeu até o limite da resistência ao álcool, continuou rindo junto conosco e adormeceu no meu colo. Tinha as bochechas cavadas e as maçãs do rosto bem acentuadas, pareciam a superfície lunar, com pequenas crateras em sua pele de chocolate.

No outro dia, enquanto almoçávamos, quando lhe contamos, Mamma Mercy nos atualizou acerca de tudo o que alguém como ela podia saber sobre Billie Holiday.

— Essa mulher devia ser mais rica que um milionário — disse elevando o dedo fantasma que lhe faltava para dar seriedade ao assunto, e assegurou que os delinquentes que ela amou tinham roubado até o seu nome. Falou-nos sobre como, sendo uma menina, tinha sido violentada por um vizinho, a prisão, as fofocas sobre seu vício em drogas, a polícia a perseguindo e todo o disse me disse e boataria sobre sua sexualidade, seu passado, seus méritos e que tipo de castigo deviam dar nela para que aprendesse a lição. Era negra, fazia sucesso, cantava melhor que todas as brancas juntas e todo o *show business* estadunidense a amava. Não iam perdoar um só passo seu.

Tomamos gosto de ir à bocada onde a conhecemos. Chegávamos sempre na mesma hora e nos sentávamos no mesmo sofá bambo para esperá-la. Sempre aparecia com um vestido novo, com uma sombra diferente nos olhos a cada vez e aquele lápis kohl preto rasgando seu olhar como uma navalhada. Corria para nossos braços cobertos de talco e pelos. Ava e eu éramos muito felizes com o presente de sermos distinguidas entre tanta gente por uma mulher como ela.

— Ava e María santíssimas, suas safadas! — dizia com os braços em forma de jarro. — Abram espaço para esta pobre puta velha.

Desmoronava em cima do sofá e ficava conosco. Ignorava todo mundo ao estar rodeada por suas garotas. E toda noite, como uma cebola, ia retirando camadas e mais camadas de vestidos até descobrir uma semente ferida e sangrando, seu coração, seu nome secreto.

Mal nos conhecemos e se abriu por inteira, como se fôssemos suas melhores amigas. Contou para nós que às vezes não podia se levantar da cama de tanta tristeza por causa da separação de seu marido Louis, que à custa do seu trabalho tinha mansões na Califórnia e automóveis conversíveis, enquanto ela pedia dinheiro emprestado aos amigos para pagar o aluguel. Não a deixavam cantar em Nova York nos bares e clubes que a consagraram por uma estúpida lei que proibia de atuar fora de teatros quem tivesse ficado preso por mais de um ano. Ela estivera no cárcere por trezentos e sessenta e seis dias. Era inexplicável que a mesma mulher de vestidos de rainha vivesse pior do que nós, duas travestis latinas perdidas no Harlem.

E quanto mais assíduos eram nossos encontros com ela, mais do outro mundo nos parecia sua amizade. Uma atração assim creio que nem Ava nem eu jamais tivéramos, nem por um homem. E tudo isso, até aquele momento, sem ter escutado nem um disco dela.

Passado um tempo, Ava comprou *Lady sings the blues* e desemburramos para sempre, escutando-a uma e outra vez sem poder acreditar que aquela fosse a voz da mesma mulher que nos dava maconha e pagava cerveja.

Usava sempre uma pulseira de ouro que tinha um diamante muito fino e reluzia muito bem em sua munheca delgada e escura. Eu enlouquecia ao olhar aquele diamante, como os gatos que enlouquecem com um ponto de luz. Devo tê-la cansado ao olhar tanto para a joia, pois uma noite a tirou com orgulho e a depositou entre as minhas mãos.

— Tome, para não ficar olhando diamantes alheios feito uma morta de fome.

Não aceitei. Me senti envergonhada.

Billie andava pelo Harlem e por toda a bendita Nova York como se não fosse famosa. Quando se via seu casaco de vison ou o fulgor dos seus diamantes, entendia-se que não era a mendiga que se pensava que era, com aquelas calças de tweed encardidas e esburacadas pelas brasas de cigarro que caíam no seu colo. Era uma estrela! E andava daqui para acolá de braços dados com duas travestis! Minhas amigas, dizia, e desafiava a todos e cada um dos transeuntes com o olhar.

De tanto vê-la e dividir baseados e lenços, Ava pensou em convidá-la para tomar café da manhã num certo dia em que fugíamos do nascer do sol como vampiras. Aceitou e ficou até bastante tarde, quase até de noite, encantada com

Mamma Mercy e nossas perucas e vestidos puídos. Puídos porém sensuais, direi a nosso favor. E veio para o café da manhã muitas vezes. Depois de uma noite de ronda, acudíamos à Mamma Mercy como gatas procurando a tigela de leite, bem quando o céu avermelhava antes do nascer do sol. Dormíamos esparramadas, de peruca e com os paus estrangulados pela fita adesiva dentro das calcinhas onde escondíamos nossos tesourinhos mexicanos. Mamma Mercy nos dava café, pão de mel e manteiga, leite quente, bacon, sanduíches de frango ou ovos rancheiros que eu mesma lhe ensinara a preparar. Depois de todos os baseados devorados naquela boca de fumo, sentíamos fome suficiente para comer a própria Mamma Mercy, mas, no final, e após atacar a mesa como se fosse o nosso último café da manhã, permanecíamos respirando pesadamente enquanto as pálpebras cediam ao cansaço. Billie dormia por cima da gente. Juntávamos as camas e fazíamos uma grande cama para as três. Desabávamos como animais recém-nascidos, com apenas os fechos dos vestidos baixados e as perucas jogadas de qualquer jeito em cima dos móveis, como roupa de baixo numa noite de amor. Ao despertar, na hora do almoço, nos sentíamos felizes de estar juntas, nessa amizade muito melhor que um amor.

— Escute, Billie — sussurrou Ava numa manhã daquelas em que amanhecíamos como se estivéssemos num ninho. — Por que você fica tanto com a gente?

— Desde que Louis foi embora, não sei como preencher meus malditos dias.

Contava com poucas amizades além de nós. Entre elas, uma guitarrista gigante que a acompanhava em algumas apresentações e que tinha braços mais musculosos e cabeludos que qualquer homem. Nós a batizamos de A Grande Lésbica, mas como não podíamos falar isso assim, a chamávamos de Agran. Ava e eu brincávamos sobre quanto a gente gostava da pose máscula com que tocava sua guitarra, como se estivesse fazendo cócegas nas ancas de uma garota. Era uma boa amiga de Billie, mas nem sempre tinha tempo para estar com ela. Gostava muito da gente e sempre pagava nossas biritas. Nos chamava de boas garotas, que fazem esta noite, boas garotas latinas? Não podíamos resistir ao seu encanto. Suspeitávamos que era lésbica, de tão equivocadas que éramos, e também antiquadas. O certo, porém, é que era um amor com la Holiday, inclusive quando a outra virava uma imbecil por causa da bebedeira. Todos fugiam, menos Agran.

Desconfio que Billie gozava de sua solidão tanto quanto a detestava, pois se nutria disso para cantar com o estômago cheio de uísque, litros e litros de uísque. Não conversava com ninguém, trancada e sozinha. Talvez tivesse desejado a solidão para ficar em paz. E agora que a tinha, muitas vezes não sabia o que fazer com ela. Era preciso viver uma solidão genuína e total para fazer o que ela fazia com sua voz. Às vezes cantarolava enquanto íamos pelas ruas do Harlem e deixava surgir seu talento em apenas um sussurro musical. Revirávamos os olhos só de caminhar com uma mulher assim. Já éramos experts na sua discografia, sempre orientadas por Mamma Mercy, que nos presenteava com discos e recortava notícias dos jornais para nós. E apesar da confiança, nunca a tínhamos escutado ao vivo. Com orquestra e tudo, digo. Nunca a víramos na frente de um microfone. Mas o trabalho escasseava para Billie Holiday e ela, na verdade, parecia descansar um pouco da azáfama da exposição, não somente ao público, mas às tentações noturnas.

    Às vezes aparecia no salão e nos pedia que alisássemos seu cabelo. Untávamos toda a extensão com óleo de ganso, depois botávamos uns rolos gigantescos, para esticar bem, e a metíamos debaixo do secador com uma revista nas mãos. Tentamos fazer suas unhas, mas não teve jeito, ela as comia, as devorava, as roía como se fossem ossos de galinha. Tinha as cutículas em carne viva, sempre sangrando em algum canto daquele corpo que, conforme os dias passavam, também ia ficando mais e mais delgado. Passávamos maquiagem nela como se fosse a boneca com que não havíamos brincado quando éramos meninas e ela se deixava maquiar, era toda submissão, toda ternura. Chegava a roncar quando lavávamos sua cabeça.

    Tinha o cabelo seco e maltratado, mas quando soltava seu eterno rabo de cavalo parecia uma amazona recém-chegada a Nova York. Ela preferia usá-lo sempre preso, trançado de maneira bastante justa. Dessa forma, dava uma esticadela nas rugas ao redor dos olhos e na testa. Tinha um par de dentes quebrados, mas quem naquela época podia se dar ao luxo de ter uma dentadura perfeita? Apenas as estrelas brancas do cinema e do rádio. Talvez nem Humphrey Bogart.

    Uma tarde chegou à casa de Mamma Mercy com tamanho bom humor que chegou a melhorar o ar, era pura risadaria. As crianças negras da rua, divertindo-se às escondidas, começaram a brincar com ela enquanto esperava que abríssemos.

— Minha mãe falou que você é cantora — soltou um dos petiços.

— Se é cantora, que cante — desafiou outro escondido atrás de um poste de luz.

— Não tenho que provar nada a vocês, crias do demônio! — respondeu para eles, morta de tanto dar risada.

— Então dê uma moeda pra gente. Se não quer cantar, então dê uma moeda — exigiu uma menina.

Billie fuçou na bolsa e fez menção de dar a moeda para a menina, mas logo recuou. Berrou na janela do nosso quarto:

— Abram de uma vez, estou prestes a ser limpada por um par de crianças. Mandaram até uma isca! Olhem essa preciosidade, os olhos mais lindos da América! — e apontou para a pequena mendiga.

Mamma Mercy abriu a porta.

— É melhor não incomodarem a senhora!

Assoviaram para ela e continuaram a pedir moedas. Billie olhou para a primeira que lhe havia pedido dinheiro, piscou o olho para ela e deixou cair uma moeda dentro de um vaso de flores próximo à porta de modo que as demais crianças não percebessem. Da janela, lá em cima, vimos o coração de Billie se expandir. A tarde se cobriu de sua bondade. Trazia legumes e frango que comprara no caminho e uma garrafa de licor de menta que pretendia esvaziar durante a janta. Parecia dar pequenos saltos em vez de caminhar. Tinha arranjado uma apresentação com uma orquestra finíssima no Onyx, lá no Harlem. Era meio clandestina, nem faria publicidade, mas seria uma grande noite. Tinha certeza que sim.

— Venham me ver. Se enxergar vocês no meio plateia, tudo será mais fácil. Não se preocupem com dinheiro, são minhas convidadas.

E lá fomos nós, com Mamma Mercy e Ava. Antes, Billie passou pelo salão para que a penteássemos e maquiássemos e depois aconteceu o ensaio com o pianista que a acompanharia e que, segundo ela, fazia o piano gemer em vez de fazer música. Nós a penteamos e corremos para nos trocar e ir ao bar. Rebolantes, encantadas, fascinadas com a ideia de enfim ver Billie cantar. Desta vez não estávamos travestidas, nos refugiamos em nossas roupas de homem para ir a um bar de jazz e evitar problemas. Talvez Ava, com sua beleza nórdica, tivesse passado despercebida; ou não, melhor nem arriscar. Calças, camisa, sapatos baixos e umas gotinhas de perfume atrás das orelhas para não nos sentirmos perdidas debaixo de tanto disfarce. Nos reservaram uma mesa localizada nada mais nada menos que ao lado de Tallulah Bankhead e outras notáveis de Nova York. Estávamos tão assoberbadas por tudo o que acontecia ao nosso redor que não nos atrevíamos a respirar fundo para não quebrar o encanto. Mama Mercy enfim saía de sua cozinha. Vestira um vestido bonito que luzia de tão limpo e novo que era. Com uma luva de cetim, cobriu a ausência do dedo indicador.

Um pianista branco, muito jovem, amenizava a espera. De súbito, as luzes diminuíram e começaram a subir ao palco os músicos negros com suas malas de joalheria e seus instrumentos tão lustrados quanto seus sapatos e suas joias.

— Se tem algo de que gosto nos homens da minha raça é que se vestem como ciganos. Olhem só esses anéis, esses relógios. Como brilham! — disse Mamma Mercy.

— Calma — respondeu Ava. — Está saindo cheiro de queimado de debaixo do seu vestido.

Rimos com discrição para não abichalhar descaradamente dentro do Onyx, tão prestigioso e histórico. Do balcão do bar vinha A Grande Lésbica, com sua guitarra enorme levantada acima da cabeça. Com licença, com licença, com licença, boas garotas, disse ao passar perto de nós. Era tão enorme que bem poderia ter trabalhado no porto como estivadora. Mamma Mercy comentou:

— Se eu tivesse certeza de que é mesmo lésbica, hoje mesmo dava a chave lá de casa pra ela.

— É mais macho que o mais macho dos machos — respondi.

O dono do lugar apareceu do fundo do palco, parou em frente ao microfone e falou como um apresentador de circo. Era um ruivo que andava exigindo demais dos botões de sua camisa. Estávamos apavoradas de que um daqueles pequenos mísseis pulasse com a pressão da barriga dele diretamente em nossos olhos. Suava muito e suas mãos tremiam constantemente. Dava a impressão de estar vivo por milagre.

— Senhoras e senhores, esta noite o Onyx tem a honra de receber a dama do jazz, a única... Lady Day!

Ele desceu com um pulo e, após os aplausos e o silêncio de expectativa, ela apareceu, vestida em cetim rosa, o cabelo arrepanhado em um coque, repuxado para trás. De tarde, quando a penteamos, ela tinha gritado para que o puxássemos ainda mais ao fazermos a trança, e passássemos brilhantina nele para que brilhasse e ai de nós se escapasse algum pelinho rebelde dos que coroavam sua cara. Nós o esticamos como se estivéssemos apertando um espartilho. Brincos de *strass* pendiam das orelhinhas de rata dela. Gostaria de poder escrever bem, de poder contar para vocês como me senti, mas sou muito tola, saibam desculpar. Faltam palavras para dizer quão sagrada foi aquela noite. Os músicos a admiravam com respeito, como que à espera de um anjo. Eu me sentia Juan Dieguito diante da Santíssima Guadalupana no dia da anunciação.

A primeira canção foi sobre um amante que chegava com a camisa manchada pelo batom de outra. A mulher pedia a ele que não explicasse nada, apenas que subisse para tirar a camisa, estava contente porque seu homem tinha voltado. Cantou se balançando assim diante do microfone como um junco ao vento. Nós a escutávamos meio envergonhadas. Tive de esconder o rosto para não chorar. A segunda canção foi sobre os ventos que pareciam soprar contra nós com bravura. A terceira, um suingue muito suave, sustentado pelas carícias do baterista nos pratos, algo para se perder os sentidos. Ava jazia petrificada observando aquela aparição, a de Billie Holiday, solitária sob a luz amarelada.

— O pianista não acerta o pé na bola — sussurrou Mamma Mercy, mas não prestei atenção nela.

As baladas eram como sair para andar de bicicleta de noite por uma cidade vazia. De tão suaves. Era como se aqueles negros nos sustentassem acima de sua música, e me sentia tão leve, tão impossivelmente leve que a carne cruzou meu pensamento e me deu asco, me enojei de não *ser* música, não sei se compreendem. Não música para tocar algum instrumento, mas *ser* música, *ser* uma canção pelo menos, e não uma pessoa. Fiquei triste porque tinha um corpo, um corpo que não me pertencia, que não podia vestir como queria, nem perfumar como queria, nem nomear como queria. Estava ali, com meu corpo de homem, vestida como tal, junto de Mamma Mercy e Ava, que tinha os olhos celestes afogados em lágrimas, e me senti triste. Mas sua voz... *"Céu, estou no céu..."* era como uma nova possibilidade, a de viver acima daquela música. *"Quando dançamos juntos bochecha com bochecha..."*

Era o mais refinado, mais saboroso, mais terrivelmente único que podia ser feito sobre a terra. Já a ouviram alguma vez? É música para se tocar quando se sai ao sol, quando a manhã aquece, quando a comida está no fogo, quando morre alguém, quando se dorme com alguém, quando se chora por alguém, quando se vai dormir, quando se celebra o dia do seu santo, quando se celebra a sua morte, quando se viaja, quando se sente a falta de sua mãe, quando se tem fome, quando se bebe e até para conseguir dormir, como uma canção de ninar. E soube disso com todo o meu corpo que odiava, mas que amava também, porque estava me dizendo bem ali: "Ouça-me, María, nunca mais você vai escutar uma música como essa, uma verdadeira missa negra, nunca, nunca mais este momento se repetirá na história".

Ela continuou como se estivesse sozinha no lugar, enquanto descíamos bourbon atrás de bourbon que pensávamos pagar sem choro nem vela, apesar de Billie ter nos avisado que a gente nem pensasse nisso, pois tudo corria por sua conta. Tinha os olhos fechados, com os braços para trás, abraçados à própria cintura, chique, chaque, um estalado com os dedos sempre no ritmo. Ao terminar cada canção, abria os braços em cruz. Só faltava levitar.

Pigarreou entre uma canção e outra, e riu também porque se equivocou com a balada. Começou cantando uma coisa e era outra. Gritou com o pianista:

— Filho da puta, bem que você podia fazer uma introdução diferente! — Os olhos estavam em vias de pular da cara dela, resfolegava como um touro, mas descansou a mão no ventre e continuou. — Esta canção é para duas senhoritas que estão comigo nesta noite, quero um aplauso para elas.

As pessoas aplaudiram como se a ordem tivesse sido dada pelo próprio Pio XII, e por pouco não molhamos nossos xales (que imaginávamos que estivessem sobre nossos ombros) tamanha a emoção que nos causou Billie Holiday ao piscar o olho do palco em nossa direção, como que dizendo: "São vocês, suas travestis bobinhas".

Já ia pela sexta canção e todo mundo começou a clamar: "Fruta estranha! Fruta estranha!". Ava e eu pensamos que era um belo elogio para nós.

— Ok, esta canção é muito especial para mim — ela disse. O trompete soou com tanta força que praticamente penteou a todos nós que estávamos sentados perto do palco. Tallulah gritava: "Meu amor! Minha rainha!", tão escandalosamente que pensamos que ia morrer de um infarto ali mesmo.

— Essa mulher está à beira de um colapso. — gritou Ava. — Deus meu!

Contudo, Billie cantou e foi a primeira vez que ouvi falar de verdade sobre a matança dos negros. Negros que pendiam das árvores como frutas que lançavam ao ar cheiro de carne queimada. Uma colheita amarga. E nós que pensávamos que era um elogio aquela coisa de "fruta estranha". Nós, que apesar de termos feito um curso intensivo sobre a obra de Billie Holiday, continuávamos a ser brutas.

— Eu também sou uma fruta estranha — sussurrei sem que ninguém ouvisse.

Abraçamo-nos, as três, e pouco importava se nos vissem chorar. Bichas e lágrimas. Billie terminou a canção num grito e com os olhos vidrados e extenuados, como se estivesse sem forças para continuar cantando. O lugar inteiro veio abaixo em aplausos e ovações, salvo por dois filhos da puta que estavam apoiados no balcão. Bebiam vinho e aos gritos soltavam suas grosserias, seus insultos à orquestra, provocações aos garçons do lugar e às senhoritas que passavam perto deles. Aqueles que estavam nas mesas pediam silêncio, por favor, e eles respondiam em busca de confusão.

"Tudo o que tenho é teu", continuou, e antes de chegar ao estribilho os dois fulanos grosseiros que estavam no balcão levantaram a voz e gritaram:

— Polícia de Nova York! — e o fizeram com tal autoridade que Billie se calou e desapareceu num só piscar de olhos detrás do palco. — Este espetáculo não foi autorizado — uivou o policial mais velho.

O dono do lugar começou a falar com eles e Mamma Mercy murmurou seu rosário de maldições: arrombados, filhos de uma imprestável, arrombados filhos da puta. Eu fiquei preparada para quebrar uma garrafa na beirada da mesa e defender Billie caso a prendessem, e sabia que Ava me seguiria na briga.

A coisa não passou disso porque Billie Holiday desapareceu num automóvel que deslizou pelas ruas do Harlem e acabou na casa de Mamma Mercy. Tinha arrombado a porta para poder entrar e estava sentada à mesa quando chegamos.

— Desculpem pela porta, amanhã mandamos consertar.

Estava deprimida porque não pôde terminar a apresentação. Fizemos café numa panela escurecida e nos contou que precisava de um lugar para se esconder, que sempre aconteciam coisas como aquela, que a polícia a marcara, que a perseguiam até quando ia ao banheiro. Queriam deixar claro que se ocupavam do tráfico de drogas e castigar Billie era útil como lição. A polícia parecia dizer: "Olhem, prendemos Billie Holiday para que vejam que somos imparciais". Billie jurou e rejurou e cruzou as mãos e as apertou com força quando nos disse que estava limpa. Que só consumia álcool. Que a época da heroína tinha ficado muito distante.

Mamma Mercy já lhe preparara uma cama com lençóis limpos e um banho quente antes que ela terminasse de relatar sua penúria. Ao entardecer do dia seguinte, Ava e eu fomos até o apartamento dela para buscar vestidos, maquiagens, seus dois casacos de pele mais caros e um maço de dólares escondido atrás do vaso sanitário que não nos atrevemos a contar, mas que parecia muito dinheiro.

Ava e eu nos dividimos em turnos no salão de cabeleireiro. Ela trabalhava de manhã e eu de tarde, de modo que sempre tinha alguém fazendo companhia para ela em casa quando Mamma Mercy saía para fazer suas compras ou visitar algum namorado.

— Minhas guarda-costas são duas borboletas! — explodia de tanto rir. — Caso Louis desse as caras por aqui, moeria as três a pauladas.

Contava que Louis era um negro de mão pesada. Que o tinha visto esmigalhar na base da porrada boxeadores e capangas ainda mais perigosos do que ele próprio. Que nem mesmo uma parede de cimento resistia aos golpes do seu homem.

— Vou receber o cara com este pau de macarrão — dizia Ava, e brandia com dificuldade o grande pau de macarrão de Mamma Mercy, que já tinha na sua ficha alguns crânios partidos.

— Mas você mal consegue levantar isso, minha querida. É tão bichinha que chega a ter menos força que uma mulher! — ela respondia afogada em risos.

Levantava-se muito cedo pela manhã e sintonizava uma rádio onde escutava ópera até o começo da tarde. Preparava o café e nos ajudava a organizar nossas bolsas para irmos ao salão, e quase não saía na rua.

Nenhum ex-marido veio buscá-la. Nenhum traficante bateu em nossa porta. Nem sequer Agran, sua guitarrista, apareceu. Somente Mandy, a vizinha da esquina, farejou alguma coisa e se atreveu a perguntar o que estava acontecendo de tão misterioso em nossa casa, pois não éramos mais vistas pelo bairro e por que não aparecíamos mais nas bocadas e o que rolava com Mamma Mercy, que agora ia às compras só uma vez por semana e mal botava o nariz para fora.

Como eu sabia que ela se remoía de inveja por coisas do tipo, brandindo meu lencinho contei para ela com toda a minha frescurite:

— Estamos escondendo uma estrela de jazz do assédio dos jornalistas.

— Não acredito — respondeu Mandy.

— Venha ver com seus próprios olhos. Diga que estava fazendo uns bolinhos e que acabou o óleo, e se podemos lhe emprestar um pouco.

Apareceu de tarde e Billie abriu a porta para ela, mas como não passava de mais uma dessas ignorantes que abundam por aí, não soube quem era.

— Mentira sua, não era nenhuma famosa, era só uma negra qualquer — Mandy reclamou comigo no dia seguinte, interrompendo meu caminho até o salão para substituir Ava.

Já tínhamos perdido a conta dos dias e das semanas que Billie estava como hóspede de honra em nossa casa. Até parecia que sempre tínhamos vivido juntas. Mas numa tarde em que eu substituía Ava, que fora desenterrar tesouros das braguilhas dos negros, Mamma Mercy entrou no salão de beleza parecendo um estouro de boiada. Todas as freguesas deram um grito de espanto ao vê-la com aquelas cadeiras que ameaçavam derrubar tudo em volta, os olhos como ovos estrelados e o coração a ponto de sair pela boca.

— Garota! Mas o que trouxe você aqui assim! Parece que viu um demônio!

— É a Bi... Bi... É a Billie. Está mal.

— O que quer dizer com está mal? — perguntei.

— Começou a morder a beirada da mesa e a grunhir como um bicho.

Passei a cabeleira da freguesa de que cuidava a meio caminho de terminar para minha assistente e fui correndo com Mamma Mercy até em casa. Quase morremos enfartadas de tanto correr.

Entramos em debandada, a bicha tomada pelo drama e a matrona bunduda sempre disposta a ajudar. Chamamos Billie, primeiro timidamente e depois aos gritos, mas a enorme desgraçada não aparecia em nenhum lugar. Sentia pavor de encontrá-la morta ou, não sei, que Louis a tivesse levado à força.

Subimos até o banheiro e ali a encontramos enfiada na banheira quase até o pescoço. Afogada em vapor, a água estava quase em ponto de fervura. Billie não tirara a roupa, usava seu suéter branco e seu cabelo estava uma lástima, completamente queimado de tanto ser passado a ferro quente. O vapor que saía da banheira fazia nosso rosto arder.

Mamma Mercy ficou dura diante da imagem da dama fervendo na banheira.

— Não se assustem — nos disse Billie.

— Essa água está quente demais, amor — respondi.

— Não se assustem. Está boa, posso aguentar.

— Você está tremendo?

— Deu vontade de usar um pouco de heroína.

Tiramos ela entre nós duas como se a ajudássemos a nascer outra vez, empapada, pobrezinha, com aqueles cambitinhos de nada, com os joelhos enrugados como cara de velho, com uns bracinhos de papel e aquele tremor que lhe vinha muito de dentro. Secamos Billie, a cobrimos com seu robe recém-engomado e a sentamos perto do fogão a lenha, onde colocamos para ferver um digníssimo frango amarelo.

Depois de jantar, Mamma Mercy se sentou com aquela bunda continental no sofá descascado que herdara de uma ex-patroa branca para beber seu brandy e fumar um tabaco de folhas pretas e mofadas. Ficou um longo tempo rindo da surpresa das freguesas ao vê-la entrar. Depois chegou Ava, esgotada de procurar tesouros nas braguilhas dos negros. Penteamos vagarosamente nossas perucas como todas as noites. La Holiday, muito cansada, foi se deitar no colo da dona da casa. A amizade fez silêncio então, cada uma com a sua própria música. Mamma Mercy, quem sabe, Billie, quem sabe, Ava, quem sabe. Mas a minha música, da qual posso sim falar, era o sonho de uma casa na Flórida, perto dos rios e do mar, enfiar flores no meu cabelo e amar um homem e outro e outro, e não me desesperar nunca por causa deles.

Deve ter passado toda uma vida até que Mamma Mercy mandou todas nós irmos dormir. Billie se sacudiu meio chateada.

— Mas que puta que me pariu — disse. Tinha urinado e molhado o robe inteiro e o sofá.

Um dia saímos todas juntas vestidas com o melhor do guarda-roupa de Billie. Eram tantos os brilhantes, éclairs, miçangas, lantejoulas, pedrinhas e cristaizinhos, que nos sentíamos como avenidas de São Paulo. Fomos tomar cerveja em um bar frequentado por velhas cobras do jazz. Billie queria encontrar Lester Young, seu melancólico Presidente. Lester era um negro de olhos muito tristes que tocava no seu saxofone o blues mais refinado que se possa imaginar. Um sujeito medroso e sensível, desses que Deus não fabrica mais. Gosto dos sujeitos que sabem sentir medo.

— Assim é o Pres — Billie nos disse. — Sinto falta dele. Estou na merda sem ele, sem a minha mãe, sem o meu marido...

Em um dos recortes de jornal que Mamma Mercy colecionava para nós, tinha uma notícia que se intitulava "O final de uma amizade?" e exibia uma fotografia de Lester Young e Billie em um estúdio de gravação. Era recente, ela estava muito parecida com a Billie que conhecíamos. Ele ri na fotografia, em tom de sacanagem, e ela está dizendo alguma coisa, apaixonadamente, talvez em reprovação, com o cigarro entre os dedos. A notícia detalhava os dois rumores que corriam sobre eles. Um afirmava que Lester estava enamorado da mãe de Billie e não perdoava as brigas e os barracos que Lady Day montava para sua mãe quando se enfurecia. Dizia até mesmo que ambas chegavam à violência física e que mais de uma vez, na frente de todo mundo, saíram na porrada.

Não acreditávamos inteiramente naquilo, e como nossa amiga se dava com sua mãe tampouco era algo que nos importasse. Contudo, segundo a imprensa sentimental, essa era uma das razões pelas quais o saxofonista de mel, outro epíteto para não repetirem Lester Young, tinha se afastado de La Holiday.

A notícia continuava descrevendo o segundo rumor, muito mais cruel, que dizia que Lester estava perdidamente apaixonado por Billie e ela não o via como um possível companheiro. Rechaçara-o aos risos, que nem louca poderia lhe dar um beijo, que nunca o vira com outros olhos que não como um "amante musical" e que isso deveria lhe bastar. O certo é que não se falavam, mas no recorte que Mamma Mercy tinha guardado para nós, ninguém se lamentava por isso.

Seja como for, quando Billie se referiu a ele naquela noite, seus olhos pulsaram como um coração. E lá fomos as três. Ava e eu mortas de medo, pois um gato preto tinha atravessado a nossa frente assim que saímos de casa e isso era péssimo augúrio. E eis que vamos tomar umas no bar dos negros notáveis e percebo que um loirinho de nada, mais branquelo que o leite, com as mandíbulas parecidas a uma escavadeira mecânica, erguia seu copo brindando comigo a distância.

— É o Gerry! — gritou Billie, e com sua voz de franga incomodou o bar inteiro. — Vem sentar com a gente, seu filho de uma grande puta!

Gerry se aboletou em nossa mesa, olhou para nossos olhos por um bom tempo, para uma, para a outra e para a outra e falou para Billie:

— Louis está à sua procura. Diz que deve um casaco de vison pra ele.

— Mas se ele me deu de presente com meu próprio dinheiro, não lhe devo nada. Vendi. Não tinha o que comer.

— Disse que vai fazer purê com seus rins se o vison ou o dinheiro do bendito vison não aparecerem.

— Eu o vendi para esta bela senhorita que está aqui comigo — ela respondeu e apertou o joelho de Ava, que entendeu a indireta.

— Você tem que se cuidar um pouco mais. Queremos nos juntar ao Webster para fazer algum lance e gostaríamos de ter você conosco.

Lester não apareceu naquela noite e Billie ficou desencantada da vida. Por outro lado, acontecia com frequência com ela. Podia ser a mulher mais alegre e de repente a mais triste. Se encontrava na rua uma criança que lhe desse um sorriso, tomava-a nos braços e corria para lhe comprar caramelos e a cobria de beijos e com seus risos de fumante. Ou podia estar tão bem que dizia "bom, agora acabou" e se punha a limpar toda a casa de ponta a ponta e de cima a baixo até deixá-la como um espelho, na velocidade da luz. E assim, com a mesma ligeireza, tombava no sofá para esvaziar uma garrafa de gim atrás da outra até ficar inconsciente.

E ficou amargurada naquela noite em que não encontrou Lester.

Na semana seguinte nos avisou de que estava voltando para o seu apartamento, pois se Louis não a encontrara em todo aquele tempo, não voltaria atrás dela.

— Certeza de que está tentando sacar um dólar da bunda gorda da Ella Fitzgerald. Vai me deixar tranquila, tenho certeza — disse.

E antes de nos deixar, mandou que levássemos para Sarah Vaughan, na porta do teatro onde ela cantava, uma misteriosa caixa achatada e embalada com capricho num veludo azul francês. Conseguimos fazer a entrega nas mãos de Sarah, que se comportou, é forçoso dizer, como um anjo de sorridente amabilidade.

— É um presente que Lady Day enviou para você, senhorita Vaughan.

— Ai, o que será, vindo dessa garota... dessagarota, dessagarota — disse sem deixar de sorrir em nenhum momento.

Despediu-se de nós com marolas de amor e beijos e disse que sempre precisava de uma mãozinha no penteado, que nos chamaria para fazermos seu cabelo, que invejava o modo que Billie ia sempre por aí, com o cabelo impecável: "True star", disse.

Billie nos confessou que tinha mandado a cueca do marido de Sarah, tal e qual ele a esquecera na sua cama alguns meses atrás, com um bilhete que dizia: "Um piano entre nós, a canção que você quiser, até que uma das duas se canse".

Billie se acabava de tanto rir, imaginando a cara da pobre Sarah Vaughan ao descobrir qual era o presente, e apesar de ela ter nos agradado tanto, concordamos que o mereceu após Billie nos dar as razões de sua maldade. Contou que ao sair da cadeia, sentia-se sozinha e perdida em Nova York e quis procurar caras conhecidas, velhos afetos, e foi atrás de Sarah no teatro, como qualquer um de vocês ou eu mesma faria, procurar uma amiga depois da desgraça.

— Quando ela cantava em antros decadentes com roupa de mendiga, mandei-lhe dois dos meus melhores vestidos para que, quando a vissem vestida como uma estrela, tratassem-na como uma estrela.

Defendia-a da polícia quando começavam a persegui-la por causa das drogas. E tinha a equivocada crença de que isso era amizade. Em vez de uma amiga, porém, na noite em que foi procurá-la no teatro depois da prisão, deparou com um muro de concreto que se negou a cumprimentá-la. A vagabunda se justificou anos depois, dizendo que o marido a mandara fazer aquilo. Para o bem da carreira dela, não era conveniente que a vissem com uma mulher que tinha saído da cadeia.

— Não sei por que somos castigadas quando desejamos vingança. As pessoas não respeitam o sofrimento — acrescentou no final da risada.

Quando partiu, a casa se esvaziou como se tivéssemos mudado todo o seu interior para outro lugar. Regressou para o seu apartamento sem outra defesa que não sua tenacidade. Partiu, sozinha com suas bolsas e uma cesta de pães que assamos para ela e presunto e queijo e frutas. E tomou um táxi que a fez desaparecer rua abaixo, para longe de nossa aliança.

Passaram-se ao menos quatro meses até voltarmos a vê-la. Tínhamos começado a suspeitar de que algo andava mal ao ver que não se apresentava para cantar em nenhum lugar. Procuramos por ela em todos os bares e mafuás possíveis, sem resultado e sempre com o coração na boca, como se diz.

Íamos até sua casa e nada. Vigiávamos sua porta dia e noite sem sorte. Ava iniciava a espera ao meio-dia e eu a substituía de tarde, dávamos voltas ao redor do quarteirão dela, íamos, voltávamos, sempre com a ideia de que ninguém gostava de ver uma bicha perambulando pela vizinhança. Tocávamos a campainha e nada, e cada dia que passava sem a encontrarmos o coração subia alguns centímetros a mais em nossa garganta. Até que uma noite voltou finalmente à boca de fumo onde a conhecemos. Macilenta como uma alga pesada presa ao leito do rio, a pele do rosto encovado cada vez mais estragada, um verdadeiro vazio debaixo dos olhos, os dentes ainda mais rachados. Pesava dez quilos a menos, com certeza. Tinha os ombros descobertos e um osso parecido a uma asa de gárgula sobressaía deles.

— Almoço e janto gim, querem que faça o quê? — se desculpou.

E outra vez enrolou seu baseado descerebrante e afastou-se do séquito de admiradores que a rodeava. Não estava inteiramente à vontade no lugar. A bocada tinha mudado bastante em poucos meses e não conhecíamos mais os frequentadores. Os negros e os brancos já não pareciam esconder tesouros na roupa de baixo. Davam a impressão de ter a mala cheia de predadores e répteis peçonhentos. Ela pediu que a acompanhássemos até sua casa.

— Tenho umas coisas que quero dar a vocês — disse.

E lá fomos a um apartamento que dava pena, de tão vazio que estava. Apenas uma mesa de pinus e três cadeiras escangalhadas que ameaçavam se desmanchar na mão a qualquer instante, um toca-discos, um par de discos jogados num canto, uma foto dela e do seu chihuahua. Na geladeira uma garrafa de leite tinha começado sua lenta transformação em queijo azedo e sua cama não tinha nada além de um par de casacos que serviam de edredom sobre os lençóis. Seus vestidos, seus sapatos, a pouca bijuteria que conservava, tudo estava esparramado pelo apartamento como sinais de trânsito, como papeizinhos que servissem de lembretes, rastros para não se perder naquela pobreza que antes fora pura opulência.

— Amores malfadados — murmurou.

Colocou um dos seus discos, de vários anos atrás, com uma voz muito mais jovem e imaculada do que a de agora, e ali mesmo começou a preparar um frango na panela.

— Vamos tomar nosso café da manhã, *ladies* — disse.

Contou-nos que o produtor do seu novo disco pagara uma propina para que a deixassem cantar em algum bar cujo nome não lembro agora.

— Pensei que nunca mais iria cantar, se isso acontecer eu morro.

Precisava promover suas canções, mas lhe custava demais permanecer sóbria, ainda mais com os acompanhantes que sempre encontrava de última hora, músicos novatos que lhe pediam a nota em que deviam tocar e não eram capazes de segui-la nos seus labirintos musicais.

Enquanto a panela operava magias com o caldo e o frango, ela foi até o quarto e trouxe vários vestidos que ficavam grandes demais nela.

— Não acredito que volte a engordar a esta altura do campeonato.

Comemos o frango de panela e em seguida, como se fôssemos suas irmãs, ela nos levou até o seu quarto e retirou um papel amassado de debaixo da cama. Uma cama de solteiro coberta com lençóis cheios de marcas de queimadura de brasas de cigarro. Abriu o papel e nos mostrou: "Vai me pagar com sangue cada centavo perdido".

— Louis apareceu faz alguns dias. Chutou a porta querendo entrar, mas a porta é foda e não cedeu. Então escreveu isso pra mim.

— Por que não vende suas peles e dá o dinheiro pra ele? — perguntou Ava.

— Porque pensava em deixar as peles de herança para vocês — respondeu dando de ombros.

Não as teríamos aceitado. Insistimos para que vendesse ao menos o vison, que segundo diziam custava uns dezoito mil dólares, mas ela preferia vê-lo queimar a dar o dinheiro ao ex-marido. Não, senhor.

Depois dessa noite não foi tão difícil encontrar com ela, e certa vez apareceu para nos visitar na casa de Mamma Mercy porque sentia falta de nossos chilaquiles pelas manhãs e dos nossos pozoles ao meio-dia. Fazia bem, eram as únicas ocasiões em que se alimentava decentemente. E mesmo assim, em pele e ossos, nos salvou da noite mais humilhante de nossas vidas. A polícia nos prendera em uma bocada e nos deixou nuas no pátio da delegacia, amarradas a um mastro como mártires indignas, jogando água gelada em nós várias vezes, gritando para a gente as piores barbaridades que vocês possam imaginar. E quando nossa dignidade já não tinha para onde ir, escutamos um alvoroço que vinha dos escritórios e se anunciava como o fim do mundo e soubemos que ela viera em nosso auxílio. Tinham contado a Billie o barraco de nossa prisão numa bocada naquela mesma noite.

Exigiu nossa liberação imediata e ofereceu pagar um jantar para a delegacia inteira quanto mais rápido nos deixassem botar os pezinhos na vida. Levou-nos roupas masculinas que supomos pertencerem a Louis.

— Além disso, esses filhos da puta estavam usando meus vestidos. Eles vêm comigo — disse para que todos pudessem ouvir, com um tom que não admitia negativas.

Fomos para sua casa naquela noite e adormecemos caídas no chão em cima de um monte de vestidos, cartas dos seus admiradores e casacos.

Certa tarde Ava cuidava de Mamma Mercy em casa por causa de uma doença vexatória. Pegara uma doença venérea do amante, dom Leonardo Muñiz, um colombiano que tentava fazer história nas ruas do Harlem com seu acordeão de alta voltagem. A andorinha negra, o chamávamos, porque ia e vinha de uma cidade a outra com a mudança das estações. Certeza de que cometera algum deslize nas suas turnês eternas e Mamma Mercy pagou pelas consequências. A penicilina a derrubou na cama e quase a levou a delirar, de modo que uma das duas precisava cuidar dela e fazer a limpeza da casa.

Eu estava no salão, tentando dar volume aos três únicos pelos malucos de uma freguesa que dava boas gorjetas. Merecidas, claro, pois era preciso fazer mágica com as penugens do cabelo dela. Enquanto a penteava e passava laquê, comecei a ficar triste. Não saberia dizer como aconteceu, mas foi de um momento para outro. Com o crânio da velhinha entre as mãos, tive um mau pressentimento. Sou uma travesti intuitiva, é como se o ar falasse comigo e contasse coisas. Continuei, apesar dos calafrios, fosse como fosse, com as madeixas da octogenária.

Não sei se contei a vocês com que nome me conheciam no salão. Mas, pela dúvida, lhes recordo: Carlos. Meu nome masculino é Carlos Montoya. Por sorte, as freguesas me chamavam de Charly e eu gostava de como soava em suas bocas: *Chooorli*.

Desculpem, não vou distraí-los com minha falta de concentração. Estava ali, escutando minha freguesa se lamentar porque seus filhos só a visitavam para pedir dinheiro, e entra A Grande Lésbica com uma expressão de insanidade na cara, igual à que Mamma Mercy fez quando Billie se enfiou na banheira com água fervendo. Estava aterrorizada, a pobre criatura.

— Procuro a María — gritou da porta, e todo mundo dentro do salão virou a cabeça para olhar para ela.

— María é minha amiga. Quem a procura? — interrompi e ela me reconheceu no mesmo instante.

Aproximou-se e me cochichou bem pertinho da orelha. Eu, com a escova redonda e o laquê em cada mão, como uma cruz de esteticista para me proteger daquilo que ela pudesse dizer:

— Billie precisa de você. Está te chamando.

Anunciei que uma amiga estava com sérios problemas e, sem esperar que alguém me desse permissão nem me preocupar em achar quem terminasse de fazer a cabeça da velhinha careca, catei minhas coisas e corri na direção da casa de Billie como nunca antes tinha corrido e como jamais voltarei a correr por ninguém. A Grande Lésbica ficou na porta do salão de beleza, parecendo que o próprio diabo tinha dado um susto nela.

Cheguei na casa de Billie sem nem tocar as sandálias no chão. Parei de repente quando me vi diante de sua porta. Chamei.

— María? — perguntou.

— Sim, meu amor.

Veio abrir a porta.

— Entra logo, sua velha safada.

Ao entrar, ela estava com um pedaço de carne em cima do olho. Seu pijama estava ensanguentado. O apartamento estava em petição de miséria, como se um furacão tivesse passado por ali. Não tinha mais toca-discos, nem rádio, nem discos, nem vison, nem estatuetas. Tinha, é claro, um copo de licor de menta em cima da mesa. Tinha, é claro, uma seringa e um prato. Vestia um velho roupão de matelassê cor-de-rosa e, evidentemente, nada por baixo. Também corria um cheiro de iodo muito desagradável pelo ar, igual ao de hospital, um odor mortuário.

— Foi horrível, María. Ele me jogava contra as paredes como se fosse uma bolinha de borracha.

— Mas ninguém apareceu?

— Tentei gritar, ele tapou minha boca e me esmurrou o estômago.

Ai, Billie, meu amor. Você devia ter ficado conosco. Teríamos dado uma volta por cima em sua carreira, teríamos jurado diante de todos os juízes, teríamos chorado, teríamos feito abaixo-assinado, inclusive teríamos incendiado a porra do mundo todo para que você não fosse obrigada a passar por tudo isso. Assim, tão longe de nós, certeza de que você andava em perigo.

Levei-a até o quarto. Seu corpo inteiro cheirava a licor de menta. Deitei-a sem tirar o bife do seu olho.

— Para desinchar — murmurou.

— Vai ficar tudo bem. Não fale demais. Tenho que chamar um médico para ver se tem algum osso quebrado.

— Eu ia saber. Não chame ninguém... — Parou para respirar. Os hematomas já começavam a revelar suas manchas violetas e esverdeadas, nos braços e nas pernas. — Fique comigo e não chame ninguém.

Sentei no chão junto da cama e escutei sua respiração pedregosa por um longo tempo. O medo cedeu terreno à calma e também comecei a respirar mais tranquilamente. Pensei que devia ir até a nossa casa avisar o que acontecera, substituir Ava, e que ela viesse para cá. Cozinhar para Mamma Mercy, que também agonizava.

Pensei em ir procurar o ex-marido de Billie, vestida toda de preto, camuflada no escuro, e aguardá-lo pelo tempo que fosse necessário, esperando no breu, e ao vê-lo, não lhe dar chance nem para piscar. Quebrar a cara dele por ser tão filho da puta. Dar umas boas bicudas no rabo dele por se atrever a fazer aquilo.

De repente, Billie começou a soluçar, com uma gravidade típica de final de conto.

— Ele levou o vison que eu queria dar pra você — soluçou e retirou o bife do olho.

A coisa parecia bem feia. Não conseguia nem o abrir, estava roxo e inchado feito uma ameixa. A pálpebra era uma bolota e tinha sangue seco na testa e nas têmporas.

— Shhhh, minha querida, shhhh...

— María...

— Que é...

— Você é como uma carícia, sabia? Você é uma verdadeira preciosidade... uma preciosidade.

— Shhhh...

— É agradável, e faz as mulheres se sentirem bonitas, e quando coloca vestidos brilhantes fica a cara de Frances Farmer, com essa peruca loira que lhe cai tão bem.

Tossiu e deixou um gemido escapar, tão angustiante que o apartamento estremeceu.

— Não fale mais nada, vai lhe fazer bem dormir um pouco.

— Aquela noite no Onyx... eu olhava você lá do palco e via como os seus olhos se enchiam de lágrimas...

— Muito bem, Billie, está bem. Durma, que daí posso sair para telefonar.

— Não me deixe sozinha.

— Tenho que avisar no salão de beleza que estou bem e pedir para avisarem Ava para vir nos ajudar.

— Mas eu quero ficar contigo.

— Shhhh...

— Quero que me abrace.

Então senti sua mão ossuda passar por cima de minha bochecha, pelo meu queixo que rezei para não estar áspero por causa da barba, pelo pescoço, e seguiu direto para beliscar o meu mamilo.

— Foi feio demais, María. Bateu em mim, cuspiu dentro da minha boca, urinou na minha roupa.

— Está bem, já passou, assim que conseguir ficar em pé, você vai para a nossa casa.

Até mesmo a respiração dela ficou em silêncio.

— Quero que faça amor comigo.

— Virgem Santíssima Guadalupana, o que você acaba de dizer.

— Falo sério. Preciso que você faça amor comigo, que me abrace, que fique nua junto de mim.

— Basta, não fique de brincadeira. Já chega de sacanagem.

Mas suas mãos continuaram a me acariciar, enfiando-se no meu cabelo, meu ralo cabelo de homem. Ergueu-se sobre a almofada, soltando outro gemido, mas dessa vez entre sexual e agonizante, e me beijou na boca e eu senti o odor do seu sangue e tive náuseas.

— Falo sério.

— Mas não sou um homem, como poderia fazer isso.

— Não preciso de um homem. Preciso de minha amiga, de María... que María me acaricie.

E abriu minha camisa, botão por botão, com o arrulhar de seus pulmões de anciã cantando bem perto de minha boca, e depois enfiou sua mão dentro de minhas calças e minhas lágrimas caíram, e ela me disse para ficar tranquila, que não estávamos fazendo nada de mau. E sem perceber estava nua junto dela, com meus mamilos sem depilar e despida, e ela com aquele corpinho cadavérico cheio de hematomas que o filho da puta do seu ex-marido lhe deixara como suvenir.

Ela continuava a sussurrar perto de minha boca coisas que eu não entendia mas que me deixavam enjoada pelo cheiro de suas palavras, e de repente estava dentro dela, penetrando-a, desejando-a, acariciando-a com máximo cuidado para que não sentisse qualquer dor, e ela ficou muito quieta, com o olho que conseguia abrir muito aberto, olhando para dentro de mim mesma, conhecendo-me por inteira. Tudo cheirava mal no quarto, inclusive minha vergonha tinha um fedor particular, algo inesquecível, como a noite em que ela nos resgatou na delegacia. E eu não compreendia o que se passava com meu corpo, por que essa rebeldia de ter a pica dura justo agora e com ela. Não identificava nenhuma sensação, não reconhecia nada do que acontecia ali embaixo e ali dentro. Mas continuei a me mexer com muito cuidado enquanto ela abria a boca e se queixava.

— Vou gozar — avisei.

Foi muito breve, de repente.

Gozei e chorei sem saber por quê. Ela ficou exausta e adormeceu. Eu me vesti, saí na ponta dos pés e voltei para casa.

Chorei também enquanto contava para minhas concubinas como encontrara Billie, mas não lhes contei sobre minha torpe consolação. Ava foi cuidar dela naquela noite e depois alternou com A Grande Lésbica. Creio que Carmen McRae, que era das poucas amigas que ainda lhe restavam, também a acudiu. Assim foi até que o olho desinchou e os hematomas desapareceram.

Não voltei a visitá-la. Ava me mantinha a par de tudo. Às vezes enviava através dela cartas que Billie nunca respondia. Sabia que estava magoada com meu sumiço, mas o que se podia fazer. Não conseguia superar o que tínhamos feito juntas. O que me obrigara a fazer. Destroçou diante dos meus próprios olhos mexicanos qualquer ideia tranquila que jamais pude ter a respeito do amor. A serpentina bailou diante dos meus olhos e eu a penetrei, uma mulher!, e senti que toda a minha sina de bicha não valia nada. Sofrer tanto para ser uma mulher e terminar na cama com uma delas e ainda por cima fazer amor com ela.

De repente eu estava no salão trabalhando ou em casa e me aparecia a recordação do seu corpo, de sua vagina como um figo escuro partido ao meio. Cheia de sementes por dentro. Foi como fazer amor com um enorme figo que respirava com dificuldade e dava gritinhos. Era preciso encontrar a saída para esses pensamentos, pois estava ficando louca. Que vergonha.

Ava ia e voltava, ia e voltava, ocupava-se dela por nós duas, digamos que cobria a minha ausência. E nessas idas e vindas da casa dela até a nossa, como se o mero fato de cuidar de alguém lhe desse a tranquilidade para enfrentar seu destino, decidiu abandonar numa gaveta suas roupas masculinas e vestiu os vestidos definitivos, os que não tiraria nunca mais.

De vez em quando me dava vontade de perguntar a ela se Billie, como se diz, tinha avançado o sinal. Mas não tive coragem. Se fez isso, Ava não sentiu que fosse razão suficiente para se distanciar.

Mamma Mercy também a visitava com regularidade. Às vezes iam as duas. Acompanharam-na em uma de suas últimas apresentações na televisão. Pentearam-na, fizeram a sua maquiagem. Cozinhavam e deixavam a comida preparada para dois ou três dias. Insistiam para que comesse. Nem Ava nem Mamma Mercy perguntaram por que eu não ia mais à casa dela. Deduzo que foi ela quem lhes contou os pormenores.

Trouxeram para mim seu penúltimo disco, *Lady in satin*, produzido inteiramente com cordas. É meu disco preferido, direi isso por toda a eternidade. Tinha uma dedicatória: "María, sou uma tola por te querer. Billie". Um beijo estampado com batom cor de terra.

Tempos depois, soubemos pelo disse me disse que estava internada no Metropolitan sob custódia policial. Tinham encontrado heroína debaixo de seu travesseiro.

Fomos todos os dias ao hospital, mas não conseguimos vê-la.

Morreu sem fazer ruído, internada ali mesmo, como as lobas quando ficam velhas e procuram um lugar onde esticar as patas. Quando a encontraram, tinha um maço com cerca de vinte dólares dentro de uma meia.

Escrevo isso na cadeia, onde me encontro faz seis anos por defender Ava de um filho da puta que esteve a ponto de matá-la na porrada. Foi um fechamento de capítulo fantástico. A polícia me encontrou caída em cima do cadáver do negro espancador, com minha peruca de Frances Farmer em uma das mãos e um cinzeiro de pedra na outra.

Teria feito isso por Billie, por Mamma Mercy e por Ava. Voltaria a fazê-lo sempre. Para alguma coisa deve servir esta força de homem.

Entreguei-me. Vim sem qualquer queixa. Sabia que aqui dentro iria descansar um pouco. Teria namorados, os rapazes gostariam de mim, faria umas farras com as bichas e seria a rainha dos trabalhos manuais. Aqui dentro ninguém me julgaria se eu chegasse a confessar que não fiz apenas amor com Billie Holiday. Mas também roubei sua pulseira de ouro com o diamante incrustado. Ela a deixava por lá, jogada em cima dos poucos móveis da casa, sem lhe dar a menor importância.

Minha ideia era devolvê-la se sentisse falta. Mas ela não sentiu nenhuma falta.

A merenda

— Vó... Por que somos marrons?

A avó interrompe a limpeza dos rifles. Está sentada à mesa da cozinha com dois rifles e a caixa de balas.

— O que você falou?

— Por que somos marrons?

— Não somos marrons, somos morenas. De onde tirou isso?

— A gente estava na aula de educação física e a Tati gritou pra mim: "Que nojo, você tem os mamilos marrons!".

A tampa da chaleira começa a vibrar e a avó estaca. Apaga o fogo e com um pano de prato pega o cabo da chaleira que é de ferro. Põe dois sachês de café em uma xícara e um sachê de chá em outra e despeja a água. Traz as duas xícaras para a mesa. O açúcar e as colherzinhas já se encontram sobre a toalha. Desenrola o pão que está escondido debaixo de muitos panos de prato para permanecer quente. Não faz nem uma hora que o tirou do forno de barro.

— E por que ela viu os seus mamilos? — A avó se senta.

— Porque a aula tinha terminado e precisávamos vestir roupa seca de novo. Então tirei a camiseta toda suada e ela viu minhas tetas. Por que somos marrons?

— Não somos marrons. — A avó sopra a xícara que agarra com as duas mãos. Usa uma aliança de ouro que lhe corta o dedo quase até a raiz. — Não fale marrom, que é uma cor imunda. Somos morenas, que é diferente.

Dá um gole do café que está pelando de quente. A avó faz umas caretas involuntárias e seus olhos enchem de lágrimas porque queimou a garganta. A neta dá risada.

— Não somos marrons, somos morenas. Certo?

— Mas você não me diz nada. — A neta põe duas colheradas cheias de açúcar na xícara de chá, acrescenta leite, corta pedacinhos de pão e os joga dentro. O pão incha de chá com leite e ela come com a colher como se fosse sopa.

— Somos morenas porque quando nos fizeram a tinta não foi suficiente.

— Que tinta?

— No lugar onde fazem as pessoas não tinha tinta suficiente para nos dar a cor bem retinta. Íamos ser pretas, mas na seção onde dão a cor pras pessoas acabou a tinta. Existem muitas como nós pelo mundo. Deram menos mãos de tinta na gente. As pessoas brancas nem sequer foram pintadas, por isso se machucam tanto. Às vezes basta botar um dedo nelas e já ficam vermelhas como um tomate.

— Você está mentindo pra mim.

— Não. Não sou eu que estou dizendo, é o que dizem as velhas.

— Você é velha.

— Sim, mas tem mais velhas que eu, acredite.

— E por que a Tati me falou que é nojento ter os mamilos marrons?

— Porque é uma idiota. Por isso falou. É melhor ser morena. Ela até que pode ser muito gringa, mas no lugar onde as pessoas são feitas nem sequer a pintaram. Deve ter um motivo para não terem pintado ela. — Dá outro gole no café, dessa vez com mais cuidado, e ataca novamente: — Além disso, tem muitas vantagens em ser morena. As cores lhe caem bem, o vermelho, o laranja, o amarelo. Vai vestir de amarelo essa tal que disse que os mamilos marrons são nojentos, veja só como fica. Eu prefiro botar um vestido amarelo e que me caia bem. Fora que você pode ficar no sol e não ficar vermelha como uma iguana, nem queimar as costas tão fácil como essa Tati. E já tava esquecendo: nós, as morenas, também envelhecemos melhor. Olha a pele da sua avó.

A avó mostra para sua neta o rosto como se mostrasse uma joia, ou algo de muito valor. Primeiro uma bochecha, depois a outra, depois uma maçã do rosto, depois a outra. Emoldura o rosto com as mãos.

— Olha, olha a pele de sua avó.

Levanta o queixo. Fecha os olhos. Mostra o pescoço. Abre os botões do vestido amarelo e exibe as saboneteiras, olha a pele de sua avó, morena, os ossos do peito, olha, olha. A velha mostra o relevo do antebraço, que exibido ao sol brilha como uma espada.

— Olha. Nada mal para setenta e três anos. Aqui só tem creme hidratante e sol. E não fosse a poeira que sobe em agosto e a cal da pedreira, não precisaria nem de hidratante. Mas esse poeirão queima qualquer coisa.

A neta por um momento pensou que a avó ia desabotoar toda a camisa e mostrar os mamilos. Por isso olha espantada para ela. Por que começou a lhe mostrar as rugas daquele jeito? Não vai lhe perguntar nada, melhor não provocar a avó. Sorve as colheradas de pão molhado em chá com leite. Quando termina o pão dentro da xícara, corta mais um pouco e o esmigalha outra vez dentro do chá. A avó, que já terminou de limpar os rifles, fica falastrona, o café esquentou seu bico:

— Além disso, somos mais caras...
— Como assim, mais caras?
— As coisas escuras são mais caras, pois são mais raras.

A neta franze o cenho. Por que sua avó está dizendo essas coisas?

A casa engoliu a luz pelas janelas e é preciso acender o sol de noite e umas velas aqui e ali para iluminar um pouco.

— Pense num móvel feito inteiramente de madeira de ébano, que é a madeira mais escura do mundo. Conhece alguém que tenha uma cadeira de ébano?
— Não.
— Claro que não, pois é caríssima. Conhece alguém que use um colar de pérolas negras?
— Não — diz sua neta enquanto bufa, chateada com essas perguntas feitas pela avó. Esse costume que sua avó tem de fazer perguntas quando ela lhe pergunta alguma coisa. Não seria mais fácil se apenas respondesse por que são marrons e pronto?
— Você não conhece ninguém que use um colar de pérolas negras porque custam o olho da cara e além disso é muito difícil encontrar uma única que seja. E não é só por questão de dinheiro. É que as coisas pretas são muito mais lindas que as coisas de outra cor. Você se lembra daquela cantora negra

que apareceu na tevê, aquela que você elogiou por cantar tão bem e deixar sua pele arrepiada?

— Sim! — diz a neta sorridente porque enfim tinha um sim para responder.

Houve um tempo em que tinham eletricidade na casa e assistiam à televisão. Outra vida.

— Olha as panteras negras! As azeitonas pretas! Os azulões... Não são mais bonitos que um canário? É melhor ser assim.

— Minha mãe, de que cor ela era?

— Era como nós. Os colegas da escola a chamavam de pirulito de alcatrão. Pirulito de alcatrão, pirulito de alcatrão! E ela voltava chorando para casa e dizia que era minha culpa. Quanto trabalho me deu fazer com que ela entendesse que era melhor ser morena. Que podíamos deitar no sol para dormir sem ficar cheias de bolhas! — Faz um gesto desesperado, como se as palavras não fossem suficientes para se fazer entender.

— Eu gostaria de ser como minhas colegas. Como a Tati. Daquela cor.

A avó dá o último gole no café com pressa e apoia a xícara com violência em cima da mesa. A neta dá um pulo na cadeira.

— Está anoitecendo. Vamos.

A neta deixa a xícara com o fundo cheio de migalhas e vai atrás da avó que carrega os dois rifles. Cruzam todo o terreiro que já vai se apagando, devorado pelas horas. As pegadas das duas ficam marcadas como rodinhas de um carrinho pequeno.

Ladeando o alambrado há sacos e mais sacos de terra. Uma trincheira feita com sacos de batata cheios de terra. O empoeirado solo daquelas paragens. A avó joga uma lona no piso. Ajoelha-se. A neta a imita. Passa um rifle para a menina, que o recebe com os olhinhos assustados e com muito esforço porque é bastante pesado e grande para uma criança de sua idade. A avó a vigia enquanto se acomoda como um soldado com seu rifle. É assim. Apoiam-se em cima dos sacos de terra e miram.

A casa ficou sozinha e todos os animais dormem no terreiro. Menos os cachorros. Os cachorros não dormem se alguma das duas estiver acordada.

A menina e a velha têm olhar de lince. No meio da noite se viram melhor que um espírito.

— Quando chegarem, se algum daqueles filhos da puta descer da caminhonete, aponte na cabeça. Não deixe a mão tremer — diz a avó para ela, e a neta acomoda o ombro, o dedo sobre o gatilho, trava os pés no pó e respira fundo. Como lhe ensinaram.

Mulher tela

Tem umas namoradas que têm sorte. A gente cruza com elas na rua e elas nem aí, na companhia de uns bombons que fazem até os semáforos suspirarem. Dá vontade de dizer para elas: que sortuda, rainha. Tem também as eternas azaradas que se apaixonam por homens que não as tratam bem e elas suportam tudo em silêncio. Por amor. Ou por conveniência. Tem namoradas que gostariam de ser mais queridas do que são. Também tem namoradas que não se mancam. Namoradas que não podem parar de trepar com outros. Namoradas sonâmbulas, namoradas que namoram sem desejar, namoradas que quebram pratos, namoradas que dizem sim a tudo, namoradas que se esquecem das amigas. E tem um tipo de namorada muito estranho, estranhíssimo feito um crocodilo albino, que é a namorada de aluguel. Disso pouco se sabe, mas muito se especula.

 A primeira vez foi por acaso (conto isso porque, finalmente, e depois de muitos anos, o primeiro dos meus clientes conseguiu sair do armário). Meu amigo Marcio Cafferata precisava comparecer ao casamento do irmão e os pais já o tachavam de eterno solteirão, pois jamais levara namorada nenhuma em casa. Isso, trinta anos atrás, era uma pista de que o seu filho podia ser gay. Os pais não suportavam descendentes maricas. Melhor ter um filho morto do que um filho veado. Para Marcio era asfixiante essa perseguição, pelo tanto que estava em jogo: a saúde de sua mãe, o prestígio do sobrenome, as clínicas do seu avô e a reputação familiar na esfarrapada nata da nata cordobesa.

Não passava de um adolescente quando o pai encontrou a foto de Antonio Banderas peladão dentro da sua apostila de História. Expulsou-o de casa. Depois disso, dormiu de favor na casa de amigos por muitos meses, até que sua mãe o encontrou e pediu que voltasse antes que as pessoas começassem a falar. Mandou-o a um psicólogo para recuperá-lo. Eu era uma das que mais lhe perturbava para que saísse do armário, dizia-lhe que lá dentro tudo estava úmido, que seria melhor sair à luz, mas éramos de outra geração, o mundo ainda era belo e muito hostil. O negócio é que, daquela vez, Marcio teria um casamento e seu pai o ameaçou: que comparecesse na companhia de uma mulher ou teria de arranjar outro sobrenome.

A data do casamento já estava em cima, ele já tinha provado o smoking... Tentou seduzir mulheres no escritório e nos bares, mas sem sucesso. Essas festas nos obrigam a fazer cada coisa, é o que costumo dizer.

Na noite em que propôs aquilo estávamos na fila do teatro La Cochera, para ver não lembro qual peça, creio que era *Besos divinos*, uma em que ao final uma penca de noivas vestidas de branco urinava de verdade no palco. Marcio estava atordoado e pálido e era evidente que o ataque de nervos estava deixando suas unhas em estado de miséria. Me amargurava vê-lo naquela situação, mas não sabia como ajudá-lo.

De repente, ele soltou esta:

— Quer ser minha namorada por uma noite no casamento do meu irmão?

— Mas nem que fosse torturada pela condessa de Báthory. Fora que seus velhos me conhecem.

— Eles não te viram mais que duas vezes. E estavam entupidos de uísque. Não lembram mais.

— Mas como é que eles não vão se lembrar de mim? Você diz cada uma...

— Vamos, por favor. Preciso de uma namorada. Eu pago!

Fez-se um silêncio e veio à minha cabeça aquilo que mamãe sempre dizia, que eu tinha talento só para sacudir os lençóis, e então pensei: por que não fazer? Por que não sair uma noite com meu amigo rico e mostrar para minha mãe que tenho talento para mentir?

— Vai ter que se vestir com elegância, nada de vestidinho de doidinha.

— Não tenho nada elegante.

— Amanhã vamos a uma loja e você compra algo decente.

A cor dele voltou na hora. O sorriso parecia uma lâmpada acesa. Então é assim que se vê a gratidão de uma pessoa, pensei. Parecia que tinha salvado sua vida. Enquanto esperávamos para entrar na sala, combinamos duas ou três coisas para não cairmos em contradição no casamento. Pediu que só dissesse a verdade sobre mim e sobre ele, que não precisávamos inventar nada, a não ser como a gente tinha começado a namorar e quanto tempo fazia que estávamos saindo.

Quando começou a peça de teatro já estávamos no ponto para enrolar a família dele.

Acho que nunca fui a uma festa mais divertida e mais cheia de sujeitos divinos, com bundas tipo melões e pescoços de rinocerontes. Não deixei um único ser humano sem seduzir. Paquerei todos. Até outras mulheres, inclusive o pai do noivo e o próprio noivo. Meu sogro de mentirinha não deixou de olhar para minhas tetas nem um só segundo, como se eu tivesse um aleph ali no decote.

— Você é divina! — gritou o velho e me apertou contra sua pança dura de ex-jogador de rúgbi.

— Não seja tão oferecida. Não dê uma de gostosa com meu pai, por favor, imploro — me disse Marcio no ouvido.

Na metade da festa botamos meio ácido na boca e às duas horas dançávamos tão na paz que parecíamos a dança da galáxia inteira. Fingir que era a namorada dele foi a coisa mais fácil do mundo. Imaginem: fiz permanente, me maquiaram, coloquei um vestido bonito... Marcio, além de tudo, tinha os olhos azuis como o fundo de uma piscina, o peito peludo e musculoso, uma bunda de fazer a fé voltar e uma ginga, uma maneira de ser que laceava qualquer elástico, de cueca ou de calcinha.

Como correu tudo tão bem naquela noite e sua família estava encantada comigo, Marcio decidiu prolongar um pouco mais o nosso acordo. Era preciso sanar os boatos também no trabalho e com os amigos da família.

— Dinheiro não é problema — falou.

Eu cobrava por cada encontro que tínhamos, em dólar. E lembrem que nos anos noventa um dólar e um peso argentino valiam a mesma coisa, meus amores. Para as refeições familiares, tarifa dupla. Eu já tinha mais que o suficiente com minha família, de modo que sempre cobrava mais caro os encontros que envolviam parentes. Em geral, planejávamos ir a algum lugar onde suspeitávamos que pudesse ter conhecidos de Marcio e então rolava aquilo de: "Ah, quero apresentar minha namorada"; "Ela é a garota com quem estou saindo". Aos poucos, começou a correr o boato de que Marcio, tão suave e afetadinho, estava namorando uma mulher de carne e osso. E ainda que nunca faltem detratores, o boato sobre sua heterossexualidade pegou entre amigos, familiares e colegas. Em pouco tempo tinham esquecido as suspeitas sobre sua macheza. Desconfio que parte do sucesso se deveu ao fato de que fui uma namorada de aluguel encantadora.

Assim comecei o meu pequeno bico, graças ao desespero de um amigo. Namorada de gays que precisavam de uma mulher, pois era caso de vida ou morte no trabalho ou servia para acalmar os pais, não sei. Estou falando de oferecer um serviço excelente como namorada de veados, que, pelo motivo que fosse, tinham que fingir que eram machões. Nunca soube de outras garotas que fizessem o mesmo. Gosto de acreditar que meu serviço foi pioneiro e exclusivo.

Jamais me deitei com nenhum deles, e olha que não faltou vontade. Com alguns conseguia sentir tropas de testosterona dançando dentro de mim com suas urgências de penetrações e orgasmos. No entanto, eu, sempre centrada, sempre simpática e no controle, não cedia. Afinal, era uma quentura inútil! Por mais que me atraíssem e aproveitasse os beijinhos que dávamos por obrigação em público, eles não teriam me tocado mas nem com um galho. E por isso cobrava o teatrinho deles em dólar. E era caro, meu serviço era de luxo.

Afora esse bico, tinha abandonado o curso de Letras, diria que por causa de minha relação com o professor – casado – de Literatura Latino-americana II. O romance pôs fim a minha vontade de continuar a estudar e ao relacionamento do tal professor, no mesmo dia em que comemorava seu quarto aniversário de casamento. A esposa cortou os pulsos ao descobrir o adultério, fato que me pareceu muito exagerado, pois o professor não valia manchar a casa inteira de sangue. Tive de abandonar a faculdade, mas graças a alguns contatos de meu pai consegui um trabalho como colunista no jornal *El Centro*. Como não me ocupava muito tempo, meu pai, além disso, contratou-me como sua secretária.

Esta sou eu, a ovelha iridescente da família.

Minha mãe é arquiteta e meu pai, infectologista. Minha mãe sempre quis viajar pelo mundo e não se prender a nada, mas acabou casada com o ser mais sedentário que existe. Sempre fui a feiosa dos três filhos do casal Montegroso. Nossos parentes e os amigos dos velhos me botavam apelidos dolorosos: Mico, Morce (de morcego), Tio Coisa, Bicho e Susto. Ninguém se lembrava deles. Minha avó dizia que tinha dois netos e uma desgraça. Eu era a mancha de molho de tomate no vestido da noiva, a mosca no leite, o pelo na sopa.

Às vezes minha mãe começava com a bebida branca às onze da manhã, de penhoar, com um Virginia Slim entre os dentes. Seu ritual diante da bancada da cozinha: servir-se uma dose, bebê-la a seco, apoiar-se na bancada, respirar fundo e espremer uma laranja, tomar o suco, meditar alguns minutos em silêncio e de novo, outra dose de tequila, espremer a laranja, tomar o suco e meditar outra vez, dar meia-volta e se desculpar diante de mim, que devia estar comendo ou fazendo meus deveres:

— Assim me hidrato.

E começava a guerra: você nasceu de bunda, deixou minha xeca feito uma panela, você não serve para nada, não tem vocação para nada e como alguém pode sobreviver sem vocação, você não se arruma decentemente, você anda vestida como uma lésbica, com esse macacão enorme e esse cabelo desse jeito, quer tirar uma de moderninha? Não fico feliz de ser sua mãe, não vejo a hora de você ir embora desta casa e me deixar sozinha.

Quando comecei com o papo de alugar meu corpo, meus encantos, meus lindos cachos acobreados, minha cultura geral (oca demais) e a bundinha construída à base de dançar Boney M. no meu quarto, minha família relaxou um pouco o pé de guerra. Era, como se diz, um bom negócio. As pessoas veem você ocupada e a respeitam.

Disse para minha mãe que estava saindo com Marcio Cafferata (outro benefício do trato) e o queixo dela caiu. "E eu que pensava que era um esquisitinho, olha só, as belas surpresas que a gente tem." E já se imaginou planejando a cerimônia de casamento e organizando almoços, fazendo planos para minha futura casa, chupando o pirulito da satisfação de ter netos com o sobrenome Montegroso Cafferata e tudo mais.

Marcio se acabava de rir quando pensávamos no tamanho de nossa enganação. Às vezes nos enchíamos de piedade e dizíamos em uníssono: "Pobres velhos". Depois lembrávamos o tipo de monstros que eles eram e, outra vez, como se tivéssemos chegado a um acordo, dizíamos ao mesmo tempo: "Eles merecem".

Meu irmão me via chegar em casa com vestidos novos que comprava aos montes na Galeria Precedo e começava a dar uma de detetive.

— No que você anda metida?

— Em nada.

— De onde tira dinheiro? Você pega táxi até para ir à academia, que fica a três quarteirões daqui.

— Ganho bem como secretária. Não pago aluguel. Não pago impostos. Não compro a comida. E estou namorando um cara muito rico.

Na noite de Natal, com Marcio como convidado de honra, me levou até o pátio para falar em particular e para encenar direitinho o circo todo de irmão mais velho. Não queria contar para ele. Ainda não.

— Não ando metida em nada estranho. Fique tranquilo.

— Deve estar vendendo drogas.

— Que isso! Não suporto viciados.

— Está trepando com um deputado.

— Não.

— Com um senador.

— Não.

— Com um velho milionário.

— Não. Não vou contar porque não quero que ninguém me roube a ideia. Mas é tudo legal, pode ficar tranquilo. — Pobre do meu irmão, se soubesse que ele me comia de tempos em tempos nos sonhos...

Como não me apaixonar por Marcio após dois ou três meses da minha contratação? Não pude evitar. Era a pessoa mais próxima que tinha no mundo e conhecíamos tão bem todas as manhas e truques um do outro. Sabíamos o que nos divertia. Gostávamos e odiávamos quase as mesmas coisas, podíamos passar dias inteiros vendo filmes do neorrealismo e comendo pizza, e os limites se borraram. Mas nunca arruinaria um trabalho como aquele por um arrebatamento sentimental, por uma recusa. Embalsamei o passarinho do amor, coloquei-o numa vitrine junto de outros adornos e me diverti como nunca. Tampouco fui das que permitem que o amor comande com facilidade. Acho-o meio... banalizado. Lemebel dirá: "O amor é tão ordinário que até as pacas se apaixonam".

E como fiz bem: ao cabo de um ano e dois meses Marcio me disse que não precisava mais dos meus serviços, pois todo mundo tinha comprado o conto do namoro. O que pode ser mais verossímil do que uma relação que fracassa? Concordamos em fazer uma cena memorável no restaurante preferido dele para consolidar sua lenda. Escolhemos uma noite em que também estavam seus primos, que eram banqueiros, neurologistas eminentes e hoteleiros. A sobremesa ainda não tinha chegado quando comecei a levantar a voz e a responder com latidos às coisas estúpidas que Marcio me falava para entrar mais em cena. Fiz a cena da vida dele e até me dei a satisfação de quebrar um par de pratos e parecer uma louca.

— Você me enganou com aquela cadela! Eu sabia, eu sabia! Você me fez de corna na frente de todo mundo!

Marcio mal segurava o riso de me ver daquele jeito, completamente louca. Joguei um copo de soda na cara dele e saí do restaurante gritando:

— Estão olhando o quê, caralho, nunca viram uma corna armando barraco?!

O escândalo foi ideia toda minha. Considerei que, além de deixar bem claro que ele era heterossexual, era preciso semear o bochicho de que também era um Don Juan.

Marcio falou com outros amigos que passavam pela mesma situação que ele. Falou para eles que eu tinha salvado sua vida. Meu nome começou a circular entre aquela elite de boiolas guardados em sarcófagos, não armários, sarcófagos, pressionados por heranças milionárias, sobrenomes imaculados e aparências das quais dependia algo mais que a vida. Marcio me convidava para reuniões com meus possíveis clientes, íamos às vésperas do que certamente seriam umas orgias romanas e nas quais eu teria gostado tanto de estar, mesmo que fosse como um abajur de pedestal e não me tocassem um só pelo.

Passado algum tempo de nossa ruptura, Marcio me chamou por telefone.

— Lembra do meu amigo Lao Lavorere? Aquele que o pai é diretor da clínica Hamilton? Bem, está para chegar sua avó da Bélgica, uma velha multimilionária a quem precisará apresentar a namorada sim ou sim.

— Por que sim ou sim?

— Problemas de gente rica. Certeza de que tem algo a ver com o testamento. Bem, você se lembra do Lao ou não?

— Não me lembro do seu amigo, mas pouco me importa.

— Precisa de você apenas para um final de semana. Pagaria muito mais do que paguei e você me deveria uma saída para dançar como comissão. Pela mediação.

— Pagaria mais quanto?

— O que pedir.
— Diga que quero mil dólares e um anel de ouro branco com uma turquesa incrustada — falei, só para dizer um preço.
— Com uma turquesa... Não seja tão vulgar.
— Diga isso para ele.

Em três dias tinha meu anel, os mil dólares depositados na conta e um encontro prévio com Lao para nos conhecermos o melhor possível. Inventamos onde nos conhecemos, tipo, quem foi que nos apresentou, o que fizemos nos primeiros encontros, filmes a que assistimos juntos, lugares que visitamos, comidas de que gostávamos, combinamos até onde nos tocar e beijar. Repassei em casa tudo o que Lao tinha contado até memorizar. Para tornar mais crível, sugeri que tirássemos algumas fotos.

Tínhamos de ir a uma estância perto de San Javier. Os pais de Lao ofereceriam um jantar ao qual compareceriam senadores, artistas, jornalistas, os empresários mais poderosos do momento. Inclusive estaria aquele tal de La Rioja... Não posso dizer seu nome nem sabendo que está mortinho da silva... Sou supersticiosa.

Lao me caiu bem, não foi difícil ficar com ele, circular, sorrir. Não foi um sacrifício beijá-lo diante dos seus pais nem diante de sua avó, Marie, a belga homenageada.

Daquela noite em diante ficou evidente que Lao tinha feito o boca a boca, pois não pararam de chegar ofertas para mim. Parecia surpreendente a quantidade de bibas guardadas à sombra. Eram como um enorme contêiner de coisas reprimidas, grandes compactadoras de autenticidade, ainda assim não deixavam de ser amáveis. Oprimidos pelos espinhos da aparência, mesmo assim conseguiam ser amáveis e inteligentes.

Chegava a me dar ao luxo de escolher. Usava meus contatos com as bichas fofoqueiras e averiguava se eram divertidos ou não, se eram agradáveis ou não. Em poucas ocasiões a rede de informação homossexual secreta falhou, porém falarei disso mais para a frente. Uma vez que recebia o depósito por um mês de trabalho adiantado, começava a estudá-los de proa a popa e a inventar o tipo de namorada que lhes corresponderia. Sempre era uma namorada diferente. Ainda que dissesse meu nome verdadeiro e minha vida fosse sempre a mesma, com meus dois pais dementes e minha boquinha no jornal, cada uma das namoradas que compus foi única. Com o tempo, aprendi que não podia dedicar mais de seis meses de minha vida a cada namoro, como fiz com Marcio. Me aborrecia e começava a ficar distraída, a me equivocar nas conversas e a odiá-los em segredo. Por muito que pagassem, por melhor que cheirassem e divertidos que fossem, passados seis meses suas demandas começavam a me incomodar, a vida que levavam e as urgências para as quais necessitavam de mim. Claro que era cansativo. Tinha de estudar a lista de conhecidos, familiares, convidados no caso de festas, para não repetir, para não cometer erros, para que não se dissesse por aí que estava namorando vários ao mesmo tempo.

    Que tipo de profissão achavam que eu tinha? Era atriz? Uma gueixa ocidental? Uma prostituta intocável? Que era tudo cor-de-rosa? Não. Coube a mim um par de putos malignos que me levaram a visitar umas benzedeiras para limpar a urucubaca depois de trabalhar para eles. Olha só. Tenho o maior respeito pelo armário. Para muitos de meus amigos o armário acabou sendo o único lugar seguro no mundo. Sabendo disso, digo que o armário pode ser fatal para alguns maricas. Acabam mofados.

Por sorte, só permaneci um pouco mais com a primeira bicha esperta. Com as outras foi mais simples. Mal começavam a aparecer os melindres de bichinha fina e desgraçada, e logo os botava para correr.

Com o primeiro foi mais difícil porque eu insistia em ser uma profissional. Em não deixar que seu veneno e seus rancores afetassem meu desempenho como namorada de aluguel. Mas não dava para ficar perto de um sujeito desses. Seu cinismo tinha a forma de um serrote e sua inveja o carcomia. Era um mitômano doente que chegou a dizer que lhe roubei, como se fosse possível roubar algo daquela casa enorme de velha fina e rançosa onde ele se aninhava como boa serpente que é. Caluniava pessoas das quais se dizia amigo. E quando nosso acerto estava para fazer cinco meses, pedi demissão. Falei que não suportava mais ver balé no Teatro San Martín, nem a ópera nem nada que não fosse deste século, que o hálito dele fedia a presunto vencido e que não iria mais trabalhar com ele, por mais que me pagasse, pois era insuportável. E depois disso espalhou a fofoca de que eu era uma ladra.

O mais engraçado que me aconteceu enquanto trabalhava foi terem me contratado para ser amante; não namorada, mas amante de um boiolão que já estava casado fazia vinte anos com uma mulher que vinha amargurando sua vida e queria que ela o flagrasse com outra para ver se assim o deixava. Não avisou na hora do acerto que eu seria a terceira ponta do triângulo. Comecei a fazer a namoradinha de trinta anos de um cinquentão, sem imaginar que tinha sido ludibriada.

Começamos a nos ver, a nos encontrar em cafés e às vezes a entrar em hotéis do centro, ignorando por completo que alguém nos fotografava. Alguém que a esposa dele mandara nos seguir. Não duramos nem um mês. Uma noite estávamos jantando em um restaurante árabe no Cerro de las Rosas quando uma força vinda sabe-se lá de onde, completamente inesperada, me arrastou pelos cabelos por todo o lugar. As garçonetes davam pulos ao meu redor enquanto a mulher do cara me dava a maior surra da minha vida. Quando lembro, meu estômago chega a doer. Ela cansou de me chutar com o bico de um *stilleto* de Ricky Sarkany. O cara que me contratou não se mexeu da cadeira. Sentia mais medo do que eu. As garçonetes do lugar tiveram de arrancá-la de cima de mim. Logo levaram a corna presa e fui obrigada a depor na delegacia. Fiquei cheia de hematomas, arranhões, mordidas e cortes. Meu namorado locatário disse que me compensaria, que o desculpasse, que não imaginava que sua mulher era capaz daquilo, mas que se o engano desse em algo, ficaria agradecido pelo resto da vida.

Ao voltar para casa moída, depois de depor na delegacia, contei aos meus velhos que tinham tentado me roubar e que não sentia vontade de falar, pois minha cabeça doía. Tranquei-me no quarto completamente às escuras, saía para comer apenas quando todos tinham ido dormir e na semana seguinte caí fora. Tinha dinheiro suficiente para ir embora daquele inferno.

Quando a mulher dele enfim pediu o divórcio, o cliente que me enganara fez um pagamento extra pelas porradas recebidas, um pagamento generosíssimo que serviu para que eu comprasse este apartamento de onde escrevo agora. Dois meses após a surra, encontrei-o no Hangar 18 aos beijos com um alemão, estudante de intercâmbio, desfrutando enfim da viadagem revelada.

Graças a este ofício como namorada de aluguel conheci o mar, senti de perto o perfume dos ricaços, soube de segredos que poderiam arruinar famílias inteiras, estive no show de Björk em Cambridge, nadei em cenotes no Caribe mexicano e celebrei o Ano-Novo em uma praia de Ibiza a alguns metros dos abdominais que Brad Pitt fazia. Passei noites memoráveis com caras verdadeiramente belos, que estavam em minhas mãos, sujeitos que me admiravam com certo carinho, apesar de nossa relação ser apenas profissional. Ao fim e ao cabo, as relações assim são mais bonitas. Dança, risos, passar horas em um bar esperando algum conhecido chegar, beber e beijar aquelas bocas. Boquinhas como damascos recém-colhidos. Tendo feito fortuna como uma cortesã bastante singular da alta sociedade, dediquei-me a decepcionar meus pais várias vezes, para manter os laços vivos, como serpentes muito finas que nos atavam.

O bico de namorada de aluguel, namorada arrendada, holograma de namorada, namorada por hora, prostituta insatisfeita, mulher tela, acabou. Caí em desuso. Quando a coisa melhorou para as bichas, eu caí em desuso. Os namoros se tornaram cada vez mais escassos e um dia desapareci.

De vez em quando fico observando o ritual de tequila e laranja espremida que minha mãe faz enquanto pensa em sabe-se lá o quê. Sinto vontade de contar para ela o que andei fazendo todos esses anos nos quais ela pensava que eu não fazia nada.

Às vezes sinto vontade de entrar no escritório do meu pai e contar para ele sobre cada um dos namorados de mentira que tive esses anos todos e que lhes apresentei como sendo os futuros pais de meus filhos. Mas é um segredo que me enche de nostalgia e não é bom dividi-lo com ele. Nunca se sabe que barbaridades os pais podem cometer contra a nossa nostalgia.

A casa da compaixão

I

É o pampa cordobês. Ao sul.
    Tudo é triste e plano. Quer dizer: o horizonte, as estradas, o olor de morte dos venenos que regam as plantações, o largo e profundo céu azul que entristece e que nunca termina de ser azul, a crueldade dos caminhões a toda a velocidade. Também, e é preciso dizer, a proximidade da cidade que está a bem poucos quilômetros dali.
    Mas isso que vemos agora é o pampa e nada mais. Um posto de gasolina, o vento que nada retém, e alguns carros parados. Tem os que transportam combustível, os que aproveitam para comer alguma coisa na parada, os que vão ao banheiro. Difícil encontrar um banheiro limpo por aqui.
    Um carro pequeno, um Ford Ka vermelho, ocupado por uma família reduzida – mãe, pai e uma menina –, diminui a marcha.

— Falei para ir ao banheiro antes de sair — reclama com a menina a mãe furiosa, pois agora terá que entrar no banheiro desse lugar que, como já sabemos, deve estar imundo.

— Sim, você já falou isso sessenta vezes, mãe. Gritar comigo não vai resolver nada.

A mãe bate a porta com força e se dirige para o banheiro que tem o D de damas.

— Então vai entrar sozinha, eu espero aqui fora fumando um cigarro.

A menina entra correndo e abre a porta de um dos compartimentos onde mal cabe um vaso sanitário. Urina, desesperada.

— Faz favor de não sentar na privada, não toca na louça do vaso!

Um tremor a sacode. Ai, que gostoso! No compartimento ao lado alguém abre a correntinha da fechadura. Que bom ter reprimido aquele peido que esteve a ponto de soltar. Alguém podia ter ouvido! Do outro lado da parede coberta de azulejos vem um perfume adocicado.

Seca-se com o papel de frente para trás, tal como a mãe lhe ensinou, e sai para lavar as mãos. Ela está de costas. Aquela mulher com botas de salto alto, minissaia muito curta, as pernas fininhas e musculosas. É altíssima. E tão magra! A menina gosta da maquiagem, parece de filme de ficção científica, dá para ver brilhos coloridos por todos os lados. Quando a mulher sacode o cabelo com as mãos, reluzem mais brilhos.

— Quer lavar as mãos?

A menina concorda com timidez e terror. Sua estatura não lhe permite alcançar a torneira. A voz da mulher soa metálica, anasalada, é a típica voz das travestis. Será que?... Pode ser que seja... Ai... vou morrer se estiver diante de uma travesti de verdade. Vou morrer vou morrer vou morrer quando contar às garotas da escola. Vou morrer se minha mãe entrar neste instante. Tem os dentes manchados de batom. Deveria avisá-la? E se levar a mal? Digo? Não, não digo, vai se dar conta sozinha quando se olhar no espelho.

— Quer um pouco de sabonete?

A menina assente outra vez e se desloca fazendo concha com as mãos até a saboneteira, que tampouco consegue alcançar para pressionar.

A travesti tem uma mão grande e peluda, como a pata de um cachorro.

— Como você se chama?

— Flor — responde sem interromper o retoque do batom. Como se fosse pouco, como se já não fosse suficiente. Esfrega os dentes manchados com os dedos.

— Eu, Magda.

— É um lindo nome. O que faz aqui?

— Vamos ao velório da minha avó em Córdoba. Voltamos amanhã de noite. Minha mãe está irritada.

— Por ir a Córdoba?

— Não, não queria vir de carro por causa dos acidentes.

A travesti fecha a torneira, tira umas toalhinhas de papel e dá para ela se secar.

— Quer que eu diga meu nome completo?

A menina volta a concordar com a cabeça.

— Me chamo Flor de Ceibo Argañaraz.

E como se quisesse mudar de assunto, depois de semelhante declaração, acrescenta:

— Você tem uns olhinhos lindos. Estou encantada com a cor dos seus olhos. Daqui posso reconhecer o brilho que eu tinha com a sua idade.

O tempo acaba de se deter. Não se ouvem mais caminhões, nem o efeito *doppler* dos automóveis. É como se o pampa inteiro tivesse virado fumaça.

— Sabe de onde vem esse brilho?

A menina balança a cabeça e fixa nela aqueles dois olhos que parecem prestes a explodir.

— Do medo dos adultos. Não acha isso? Que os adultos são assustadores?

— Arrã.

— Você não tem medo dos adultos?

— Sim, às vezes. Mas também sinto muita pena deles.

— Pena?

— Sim, dão pena. Sempre digo isto com minhas amigas: pobres dos nossos pais.

Danadinha, você é uma criança danadinha e inteligente. Continua imediatamente após o pensamento:

— Faz bem em ter medo dos adultos. Eu era assim, como você. Meus olhos brilhavam.

— Posso perguntar uma coisa sem que você se ofenda?

— Claro, meu amor, nada me ofende.

— Você é travesti?

— Sim, e das mais autênticas que vai poder encontrar por aqui. Cem por cento travesti.

— Se eu contar isso lá na classe ninguém vai acreditar...

Os nós dos dedos da mãe de Magda batem na porta de compensado. Acaba de apagar o cigarro no chão e lembrou que tem uma filha.

— Vamos, Magda! Está fazendo o que aí dentro? Anda logo, seu pai nos espera no carro.

— Pode ir. Lembre-se, a flor de ceibo é a flor nacional. Para o caso de alguma vez pensar em mim.

Mal acaba de sair e o braço da mãe a transporta pelo ar como uma pinça até o banco traseiro do carro.

— Magda, você estava falando com alguém?

— Não, estava cantando. O que é uma flor nacional? É tipo uma rainha das flores? Qual é a flor nacional da República Argentina?

— E como é que eu vou saber? De onde tirou isso?

O pai comprou refrigerantes e batatas fritas na loja de conveniência do posto de gasolina. De tão persistente e daninho, o vento poderia provocar o suicídio de uma pessoa. A menina no banco traseiro já está bebendo sua Coca-Cola.

— Aperte bem o cinto de segurança.

A mãe engole suas batatas fritas e olha como o caminho se estende à sua frente. O pai dá a partida no motor e quando está para avançar, um cão enorme atravessa o caminho e olha fixamente para eles. Magda grita:

— Para, papai, assim você o atropela!

— Não disse, eu avisei. Essa estrada é um perigo.

O cão não se move até a menina jogar uma batata frita pela janela. Então se aproxima, apoiando-se na porta do carro e a mãe solta um grito de terror. O animal pega com delicadeza a batata frita da mão de Magda.

— Vamos, dá no pé senão esse cachorro vai acabar entrando!

O carro arranca e desaparece na estrada.

II

Agora vemos Flor de Ceibo saindo do banheiro. Vai em zigue-zague. A menina talvez não tenha percebido a bebedeira ou talvez tenha feito vista grossa. Mas lá vai esse mulherão esplendoroso com sua minissaia de lurex prateado, tão curta que só ela pode usar, e com aquelas botas destroçadas e com o calcanhar do salto torto para trás e ainda assim dignas e até elegantes. Debaixo da jaquetinha jeans que ela mesma encurtou e desfiou, veste um top que mal cobre suas tetinhas de hormônio. "Os homens não veem essas coisas. Não sabem apreciá-las. Poderia ter um pavão real saindo do seu rabo e cantar em mandarim e eles mal perceberiam. Você se veste para si mesma, isso é assim mesmo, por isso é travesti", disse a ela faz alguns anos uma velha travesti do La Piaf, o antro gay que foi sua escola e paraíso.

Flor de Ceibo teve uma noite longa demais. Atendeu seis clientes. O sol lhe bate de chapa na cara. Procura na bolsa os óculos de sol sem encontrá-los. Nem uma sombra no pampa. "Você precisa criar juízo. Ir para Rosário. Lá os caras morrem por uma traveca. Aqui nesta estrada, se um gringo não te matar, um carro te leva", lhe disse a mesma travesti que falou aquilo do pavão real no rabo. "Por lá basta empinar o rabicó que não vai nem tocar o chão. Os caras vão te pegar no ar. Ouça o que digo. Um final de semana por mês. Vai voltar bem comida por uns bofes que são verdadeiros touros e ainda por cima cheia da gaita. Para dar toda para aquele imbecil com quem você vive."

Flor de Ceibo pensa no conselho de sua amiga. As coisas ficaram feias ultimamente no pedaço. Os clientes não querem mais pagar o que se pede e é preciso trabalhar mais para juntar a mesma grana que antes se juntava com dois ou três fulanos. Também andam com medo de cruzar com um animal na estrada e terminar convertidas em um altarzinho cheio de garrafas vazias e flores de plástico. É hora de procurar outro rumo, ir a Rosário e ver o que acontece. Flor está cansada da rotina de puta estradeira do pampa.

Mas hoje sua rotina terá uma pequena guinada. Além do encontro com aquela menina, ai, como se chamava, María, Marta, Mar... Magda, isso, um nome bíblico... Hoje algo mais vai acontecer.

Do outro lado da estrada, no sentido contrário, vem um grupo de freiras. São da ordem das Irmãs da Compaixão. Divertem-se, sustentando o hábito que infla e voa quando os carros passam a toda a velocidade. Flor de Ceibo as observa fascinada com a luz que reverbera sobre os véus e pela risada das freiras que caminham tentadas pelo que o vento lhes faz ali debaixo das saias rebeldes. Têm as pernas muito peludas, acaba de perceber isso com uma lufada de vento; é claro, as freiras não se depilam. Elas também a admiram. Abençoam-na, sorriem para ela. E uma delas levanta sua mão e lhe dá um adeuzinho. A freira é jovem, deve ter uns cinquenta anos. Um sorriso tão largo como o próprio horizonte do pampa, um dente atrás do outro multiplicados ao infinito. Flor de Ceibo sorri com certa vergonha devido ao pré-molar que lhe falta e então parece ver que do sorriso da freira jorra uma baba espessa. Uma freira estreando dentes postiços? Desconfia das religiosas, para que negar. Mas agora se torna uma presa daquele sorriso. O que terão debaixo do hábito, além das pernas peludas? Flor está imaginando calcinhas gigantescas e cintos de castidade fechados ao público com cadeado.

Ela dá várias voltas para observar as freiras. A freira que a cumprimentou também dá meia-volta. Agora correm. "Gostei dela", comenta Flor de Ceibo com a outra Flor de Ceibo que vive dentro dela, que é com quem conversa faz anos, posto que não são muitas as ocasiões em que pode papear com outras pessoas com tanta sinceridade e tanta graça.

Dobra a ruinha de terra que margeia o campinho de futebol, caminha uns cinquenta metros e já chega em casa. Abre a porta da entrada e a chapa de compensado raspa no contrapiso. A casa se queixa. Mas é uma casa bonita, as flores crescem nos canteiros que ela mesma rega todas as manhãs ao voltar do trabalho. Orelhas-de-coelhos, begônias, azaleias, alegrias-do-lar, amores-perfeitos e malvas. O portão está pintado de amarelo esmaecido e de fora dá para ver as cortinas de tecido bastante grosso que ela mesma cortou e costurou. Motivo outonal, com arremates, dobras e franjinhas. A entrada é um caminho de cimento e pedras que ela pintou de todas as cores encontradas nas latas de tinta que foi ganhando. A única coisa que destoa é que no muro onde está o medidor de luz alguém pichou de preto CRISTO ESTÁ VINDO com spray. Devia cobrir com algo bem colorido, isso sim, mas agora não dispõe de dinheiro para se livrar da profecia apocalíptica.

Deixa a bolsa em cima da mesa. Descalça as botas e as joga num canto com um chute. Sai de novo, pega a mangueira que já está instalada na torneira da entrada e rega todas as plantas enquanto cantarola uma canção. Assim que a terra fica da cor de café com leite, fecha a torneira e enrola a mangueira.

Agora entra no quarto. Abre a cortina, também costurada por ela, e o primeiro que vê é um homem largado. O tio dela está assistindo à televisão meio de longe, como se não quisesse fazer aquilo, absorto em um canal de desenhos animados. Na mesa tem uma xícara de café e as toalhas estão cheias de migalhas de pão, pelo que se pode deduzir que outra vez desobedeceu à ordem de comer na cozinha. Ela tira a roupa e se deixa cair ao lado dele. O tio não olha para ela, apenas altera um pouco a respiração. É um sujeito de uns sessenta anos, com o peito magro e pontudo como a frente de um bote.

— Mas que merda. Esqueci de tirar a maquiagem.

Levanta-se, bufando, e vai direto até o banheiro para empetecar o rosto com creme hidratante. Ao voltar, parece incrivelmente mais jovem. Não é possível saber se ela tem consciência de quanto a maquiagem a envelhece. Talvez ninguém tenha contado a ela, mas assim, com o rosto lavado, ela definitivamente parece muito mais jovem. Agora sim, o tio parece ter notado a sua presença. Ele umedece um dedo com saliva e o passa entre as nádegas. Ela se balança como se uma mosca tivesse pousado nela.

— Quieto. Não fode.

— Oh, buá... precisa ver isso aí — diz o velho e em seguida volta sua atenção aos desenhos animados.

O calor às vezes parece se deter, então a transpiração do tio seca sobre a pele e ele fica com frio, por isso volta a abraçá-la. Ela volta a rechaçá-lo, aborrecida, e assim, nua como um animal, vai até o terreiro e se joga numa espreguiçadeira ao sol.

O tio, sozinho no cômodo, retrocede no tempo. Acompanha seu sobrinho entrar pela porta da mesma casa. Um cabritinho sem coragem, perdido já para o mundo, ossos magros, cabelo liso, bem preto. Quase não fala. Só diz sim, não e arrã.

Foi fácil. Chegava do trabalho no táxi que dirigia naquela época e o sentava no colo para verem juntos os desenhos.

Sentia o corpo do sobrinho à sua disposição. Começou a lhe acariciar os joelhos, quase de passagem, distraidamente, até que o embate de suas carícias relaxou os músculos do menino, que uma tarde se deitou no peito dele. Com o pescoço muito próximo de sua boca, começou a lhe beijar as orelhas como se fosse uma brincadeira. Verificou que seu sobrinho ficava todo arrepiado. Beijou-o na boca escarafunchando com a língua como se procurasse uma fonte de água até que a encontrou. A partir desse dia o obrigou a lavar suas cuecas sujas de merda e bateu nele toda vez que a vida lhe pareceu injusta. Foi um longo, longo crime, feito com toda a paciência.

Aquele menino tinha os olhos brilhantes, tal como Flor de Ceibo dissera há pouco para a menina do banheiro do posto? Na imagem que está rondando a memória de seu tio não se vê tão claramente, portanto é impossível sabê-lo. Mas é preciso sempre acreditar em alguém como ela, mesmo que não diga a verdade.

Certa vez o sobrinho pintou as unhas com esmalte perolado e de um dia para o outro sua pele passou a exalar creme Hinds e desodorante Impulse. O tio o convidou para dormir com ele. Com o abraço cálido daqueles braços esculpidos pelo campo, a flor adolescente dormiu com um olho aberto todas as noites, até perder o medo. E o deixou entrar e se enfiou até lhe tocar o umbigo. Flor de Ceibo se aceitou e viveu o incesto como se fosse um namoro, com seus ciúmes, com suas brigas. Quando o vento começou a escassear, saiu para a rua a fim de fazer a vida, pois era uma boa profissão, no fim das contas. Saiu para a estrada onde vira outras travestis e foi acolhida. Ao término do primeiro expediente, já parecia carregar o mesmo sangue que elas. Passou a ter dinheiro próprio e a se permitir gostos que seu tio não permitia, como o café com leite com *medialunas* pela manhã e a Coca-Cola na mesa todos os dias. Tomou um circular e foi até a cidade, comprou roupa e logo uma fila de sujeitos se desesperava para fazer amor com ela em hotéis baratos mas oportunos. O tio passou a vadiar e vendeu o táxi, ficou pançudo e seus dentes caíram. Emagreceu e seu cabelo lourão tipo de gringo mesopotâmico ficou seco e amarelado. Flor não quis mais ralar na sua cama, começou a se afogar no seu hálito de miséria e se divorciou secretamente dele. Por aqueles dias compreendeu, pois suas amigas da estrada lhe informaram, que seu tio a usara durante anos. Amaldiçoou-o no idioma dela, para dentro e com martírio. Permaneceu com ele, mas fez com que pagasse aquela sujeirada com o rigor do seu desprezo.

Flor de Ceibo dorme deitada na espreguiçadeira que vai deslocando à medida que o sol se move, tão cansada que nem percebe que do teto da casa ao lado dois meninos a espiam. Quando o sol some do terreiro, cai para dentro e encontra o tio no esquema de tomar mate e ver a novela da tarde, a pior de todas.

— Como uma mulher, é preciso ver... — murmura ao passar.

O tio continua aturdido diante da telinha. Chegou a hora: ela toma iogurte desnatado sabor baunilha diretamente do saquinho, tipo meio litro sem respirar. Entra debaixo do chuveiro, ensaboa-se, depila as pernas, as nádegas e também no meio delas até ficar lisa como uma lápide. Depois se seca. Passa creme. O tio a vê meio borrada por causa do vapor do banheiro. Veste-se com aquela roupa diminuta com que a vimos pela manhã.

— Tome cuidado, pois tem muito imbecil solto por aí.

— Sim, pode crer... Aqui mesmo tenho o campeão dos imbecis soltos.

— Estou falando sério. E pra complicar tem esses cachorros de merda atravessando a estrada. Dia sim dia não tem acidente. Os carros capotam ao desviar dos bichos. O acostamento anda cheio de altarzinhos.

— Quando precisar de um pai vou procurar um que não queira me comer, velho sujo.

O tio se levanta para cobri-la de porrada e no primeiro momento ela sente medo, mas já quase no segundo se recompõe e mostra para ele outra vez o seu sorriso venenoso.

— Faça — ela o avisa. — Faça, mas fique sabendo que não vai voltar a dormir tranquilo, pois quando menos esperar vou tacar fogo enquanto estiver dormindo, em você e na porra desta casa toda.

Quando sua sobrinha parte e o deixa triste e sozinho na frente da novela, com sua hombridade esmigalhada por não ter se atrevido a bater nela, procura a toalha com que ela se secou depois do banho e se masturba com raiva, apertando o pau até ejacular um líquido cinzento, pegajoso e malcheiroso nesse pedaço de trapo.

III

Flor de Ceibo no seu expediente de trabalho.

Rainha do trânsito defensivo. Os motoristas têm medo dos cachorros que se habituaram a atravessar na frente dos carros provocando acidentes. Sempre levam uma alma para o bairro do lado de lá.

Pernas e mãos fortes, capazes de estrangular um caminhoneiro de mão grande, se for o caso. Começa sua noite como uma atriz em uma peça de teatro. Dosa sua energia. Sabe que não existe nenhuma razão para dar tudo no primeiro programa. Que pode aguentar a noite toda sem necessidade de ficar parada junto aos caminhões. As noites de verão são fáceis de viver.

"Se for viva, não leva mais que sete minutos. Entre dizer sim, papito, e manusear sua benga e pronto, já o levou ao ponto de bala. Precisa ir medindo o tempo. Um dia você vai ficar de queixo caído com a rapidez com que se pode lavar a égua." Conselhos que lhe foram dados pelas travestis quando começou a trampar na área.

Agora aparecem dois que a chamam de um carro com luzes azuis, como as usadas pela polícia. E ela, que já despachou em questão de meia-hora, que se lavou como pôde no banheiro do posto de gasolina, acode rebolando na noite como uma serpente que em vez de escamas tem pelos.

Passada a retórica do comércio, os três amantes partem no carro até um motel que fica a alguns quilômetros dali. O Beijo Viajante, assim se chama o motel, e é visitado com ardor pelas travestis da área e talvez por um ou outro casal de ocasião que foge até este ponto do planeta onde acontece esta história. Os rapazes são na deles, não falam muito, não têm curiosidade por ela; falam do clima, do último acidente da estrada, quando um animal que os especialistas ainda não puderam identificar, uma espécie de cachorro com pernas longas, atravessou a frente de um carro.

Flor de Ceibo está aborrecida, pensa em outra coisa, na freira que a cumprimentou pela manhã quando voltava para casa. Os homens falam e falam, e ela permanece aflita diante da recordação das religiosas de pernas cabeludas e a freira untada pela luz da manhã que lhe sorriu com tanta doçura e jorrando baba.

Os olhos dela se enchem de lágrimas que não conseguiria explicar aos seus clientes se eles quisessem saber, então, com a unha endurecida por camadas e camadas de esmalte, arranca uma lágrima dos olhos e joga para fora do carro, ao vento. No lugar onde a lágrima cai, a terra queima, a vegetação é consumida.

Chegam ao hotel, resolvem a questão econômica, ficam nus, brincam, vão e vêm de um corpo ao outro. A luz das flechas de néon que indicam aos motoristas para entrarem no templo do sexo um por vez gruda nos lugares em que as cortinas não conseguem cobrir de todo. De sua poltrona de rainha, com um pé pequeno mas largo, acaricia seus corpos de gringos criados com leite fresco e pão caseiro, enquanto eles apertam suas tetinhas de cadela e lhe chamam de putinha, putinha linda. Um deles, o mais novo, é atraente para Flor de Ceibo. É alto, largo e maciço. É simpático, além do mais. Desses caipiras que dá vontade de levar para uma cabana na montanha para obrigá-los a andar pelados enquanto trabalham na terra; que dá vontade de dizer eu quero você e lhes mordiscar esses mamilos de pêssego que eles têm. Belos paquidermes.

O outro, muito do prepotente, enfia-lhe o pau na boca e a segura pela nuca para empurrá-la até ter ânsia, ela sente que está trepando com uma máquina de lavar roupa. Com um gaveteiro.

— Tá tudo bem? — ele pergunta.

— Sim, tá tudo bem. Não gosta de como eu faço? — Flor de Ceibo se faz de sonsa, como se não estivesse pensando o que está pensando. A pergunta do cliente a traz de novo à opressão do trabalho. Pegou dois gringos dos pampas em plena estrada e agora precisa responder à altura da profissional que é.

— Vamos ver, faça e eu digo pra você.

E Flor de Ceibo faz o que tem de fazer, mas está desconcentrada. O que faz agora, pensando nas freiras com quem cruzou pela manhã?

A coisa se prolonga, perde tempo demais até eles acabarem. Isso poderia durar horas e horas. Por sorte o preço foi combinado de acordo com a diária do hotel, terão de pagar ou pagar, ou consultar o relógio com mais atenção.

Ela tem algumas teorias bastante comprovadas no campo da aceleração do orgasmo. Uma garota como ela aproveita seus recursos. Por exemplo, falar com eles como se fosse uma menininha os faz acabar mais rápido. O balbucio, é como chamam agora. Ela começa a gemer e a fazer beicinho e o orgasmo chega. Funciona com muitos, de modo que aperfeiçoou a técnica do seu balbucio e acaba sendo fatal. Se são radicalmente lentos, um dedo no cu sempre coloca as coisas a seu favor. Nenhum cliente com problemas para ejacular resistiu ao seu dedo. Um pouco de dancinhas e pronto. *Vamos comprovar se a teoria ainda está certa*, pensa, e umedece o fura-bolo e tenta fuçar as nádegas do fulano de quem menos gosta, para fazê-lo terminar logo e poder se ocupar do que a atrai mais. Não se trata de trapaça, porém, na tentativa, não sabe se porque sua unha está comprida ou porque não umedeceu suficientemente o dedo com saliva, no momento em que ela, esmerada na mamada, enfia o dedo no cu dele, o rapazola lhe acerta um murro na cabeça, um pouco acima da têmpora, e a derruba de desconcerto e indignação.

— Ei, não bata nele — diz o outro —, não quero encrenca com esse traveco.

— Quis enfiar o dedo no meu cu, o boiolão.

— Mas não bata nele, senão a gente se mete em confusão. Flor de Ceibo fica de pé, ainda meio zonza. Tenta se apoiar em algo mas não encontra em que e cai de novo. Finalmente consegue se levantar, os três em silêncio, cada um estudando como sair daquela situação. Esse é um dos momentos em que o ar pode ser cortado com uma tesoura, ela pensa que vai contar desse jeito para suas amigas quando tudo acabar. Os clientes estão assustados, pois veem como Flor de Ceibo está se balançando. Não voa nem uma mosca no quarto. Ela pouco a pouco estabiliza o corpo e num piscar de olhos pula em cima do corpo do que bateu nela e crava os dentes no ombro dele. Os dois brutamontes não conseguem desgrudá-la da carne.

Quando o larga, nota que os clientes estão apavorados. Ela sabe que é preciso meter medo neles para fazer o que lhe der na telha.

— Passa a grana e a dele também e os celulares e o relógio — diz. Enfia a mão na bolsa e saca uma navalha brilhante como um cubo de gelo e a empunha com firmeza, para que não tenham dúvidas de que é perigosa.

— Deixa eu tirar os documentos — pede um dos clientes.

— Vou devolver a sua carteira.

Ela se veste rapidamente, sem jamais descuidar da retaguarda. Está ensopada da saliva de ambos, a roupa de baixo gruda por causa da umidade. E assim, como se nada tivesse acontecido, sai de cena, cheia de graça, diante do olhar desconcertado dos clientes que a sorte lhe tocou.

— Fiquem quinze minutos aqui e depois saiam. Tem câmeras no quarto. Sou conhecida no hotel. Caso me façam alguma coisa, o pessoal do hotel garante a minha segurança.

— A gente se cruza — o mordido a ameaça.

Ao atravessar a entrada do hotel se depara com uma das mulheres da limpeza, que fuma um cigarro.

— Aprontou o quê, hein, Flor? — pergunta ao vê-la passar.

— Nadinha de nada.

Tira um lencinho de papel e limpa o sangue dos dentes e dos lábios, que ficaram em estado desastroso por causa da mordida.

Quando comete esses roubos sente que a adrenalina dá uma viagem melhor que a maconha, melhor que o ecstasy ou o álcool. Poderia sentir culpa, mas é travesti. Trabalha na estrada, a culpa não é para um animal como ela. O negócio dela é se jogar ao sol e se banhar de creme Hinds e desodorante Impulse e fazer seu tio sofrer de desejo. O negócio dela é devolver a porrada com outra porrada, de maneira limpa, honrada, a todos aqueles que a agridem. Com a polícia é fácil de lidar. Não existe um só polícia que não queira carne travesti. O negócio dela são as macumbas, os bonequinhos em que enfiar alfinetes, as maldições rogadas às casas. As travestis fizeram bem em espalhar o medo com suas macumbas nas portas das casas daqueles que as maltratam. Passam o bichinho do temor de boca em boca como um beijo. Flor de Ceibo está protegida por essa trincheira na qual ela também cavou sua parte.

IV

Flor de Ceibo caminha confiante pela beira da estrada. Gira como uma modelo de passarela quando os carros tocam a buzina. Mas o carro dos rapazes que acabou de roubar sai da estrada e estaciona no acostamento fechando sua passagem. Flor de Ceibo corre em direção ao campo e se enfia nas plantações de soja, corre com seus saltos desmantelados, escuta os insultos mais atrás, percebe que a distância entre ela e os vingadores diminui. Corre mais e mais entre as ravinas como uma raposa que saiu para cometer travessuras e logo atrás vem os homens maculados, enganados e humilhados. Agora o milharal, o milho alto e dourado como os sonhos de Flor de Ceibo, a esconde dos seus perseguidores, que vêm atrás dispostos a cobri-la de pauladas por ter feito aquilo com eles, que são dois bons garotos, que não fizeram nada errado.

A lua é translúcida e branca e as pernas de Flor de Ceibo, que são de aço, começam a amolecer. Desmaia. Quando os rapazolas a veem cair, aproximam-se com cautela, a veem desvalida no solo e decidem fuçar na sua bolsa para recuperar seus celulares, o dinheiro, o que ela tiver.

— Vamos, melhor não sermos surpreendidos — diz o gringo briguento.

— Mas precisamos avisar alguém — o outro diz.

— Deixe aí, que os veados a encontrem primeiro.

V

Flor de Ceibo abre os olhos. Está em um quarto fresco, tão fresco que não sente calor mesmo coberta sob as colchas e os lençóis cegantes de tão brancos que estão. Cheiram bem. O piso é de tacos de madeira e o teto, bastante baixo, é atravessado por vigas. Cheira bem dentro do quarto, as paredes exalam cheiro de cal e segredos de mulher. Acima da cama, Flor de Ceibo distingue um grande rosário de madeira que pende sobre sua cabeça. Um dos olhos dói, nota que está inchado, toca nele e percebe que o supercílio está coberto com uma bandagem, em volta tudo está inchado. Na brancura da fronha do travesseiro, tem um pequeno arquipélago de manchas de sangue, mas ela não o vê.

Recorda-se apenas de alguns arranhões ao correr às cegas entre o milharal. Deve ter se batido ao cair. O ouvido vai despertando e escuta como se um cachorro agitado resfolegasse debaixo de sua cama. Inclina-se como pode para ver, mas não tem nada. Continua a escutar a respiração.

A porta se abre. Uma freira das que viu na estrada entra quase nas pontas dos pés.

— Está acordada?

— Onde estou?

— No convento das Irmãs da Compaixão. Ontem de noite encontramos você no limite do pátio. Na dúvida, não quisemos avisar ninguém até que voltasse a si.

A freira sai e dá para ouvi-la gritar no corredor:

— Irmã Rosa! Ela acordou!

Latidos, desta vez nítidos. E depois gritos de júbilo de outras freiras. A porta é novamente aberta e entra a freira que sorriu para ela na manhã anterior na estrada. Logo atrás, passos de outras freiras. Uma muito jovem, morena, mais tímida que uma lebre, chama-se Úrsula. Outra freira magrinha, cheia de vida como uma lagartixa, curiosa e sincera, é a que mais olha para ela e se apresenta com um beijo espontâneo na bochecha.

— Sou a Shakira.

Flor de Ceibo está um pouco aturdida, como se caminhasse em cima de um colchão d'água. Será que essas freiras danadas lhe deram alguma droga?

— É o meu nome verdadeiro. Nasci quando a Shakira fazia sucesso. Minha mãe gostava demais dela. Tinha catorze anos quando me teve.

Com Rosa, Úrsula e Shakira tem uma velhinha que todas chamam de Madre. Entre elas falam em sussurros. Não se entende nada do que dizem, parece ser outro idioma.

Agora a irmã Rosa se senta na beirada da cama. É tão suave que parece impossível ter medo dela. Pega sua mão, que tem um raspão em carne viva e começa a lambê-la, passando-lhe uma e outra vez a língua.

Úrsula diz, como se estivesse dando uma explicação técnica:

— A saliva tem muitos anticorpos, vai lhe fazer bem.

— Sou a irmã Rosa. Você está no convento das Irmãs da Compaixão. É dia 24 de novembro de 2019. O médico já te viu. Estávamos preocupadas por causa da batida enorme que tem no supercílio. Levou cinco pontos. Sabíamos que não dava para chamar a polícia, por via das dúvidas. Aqui aparecem muitas garotas como você. Tive hóspedes como você até por dois anos seguidos. Às vezes com a esperança de que façam os votos, mas até agora nenhuma fez.

Depois de uma longa pausa, acrescenta apertando a mão:

— Sinta-se em casa.

As outras freiras dão um risinho que a irmã Rosa interrompe com um "psiu!".

— Meu tio deve estar preocupado — murmura Flor de Ceibo.

Flor de Ceibo recebe algumas imagens, borradas: freiras que a alimentam, espectros de freiras que a limpam, que rezam ao seu lado, que conversam com ela, freiras que têm as unhas grossas e sujas como se tivessem cavado a terra. A irmã Rosa caída no chão junto de sua cama lambendo sua mão machucada. Vencida pelo sono, adormece outra vez sem perguntar muito mais. Apenas murmura pela segunda vez que devem avisar seu tio.

Desperta com muita vontade de ir ao banheiro. Tenta se levantar, mas está fraca. Percebe as pernas no puro osso, como se nunca tivesse caminhado. Sente que algo a incomoda sob a camisola. Ao se tocar, descobre que colocaram fraldas nela. "Ponha-se de pé, maricas", lhe diz a Flor de Ceibo que tem dentro de si. "Ponha-se de pé, maricas, vamos." Quando consegue parar em pé, não dura nem um piscar de olhos. Cai ali mesmo.

— Garota, mas como foi se levantar sozinha! Deveria ter me chamado.

Chamar como, se mal consegue mexer a boca. Parece que carrega uma língua muito maior que a sua sob o céu da boca. Uma língua pesada e desobediente. A irmã Úrsula a auxilia a caminhar até o banheiro e baixa suas fraldas. Flor de Ceibo sente vergonha que a freira veja o seu pinto, mas Úrsula não parece se incomodar.

— Quero fazer cocô, você pode sair? — diz Flor de Ceibo com suas últimas forças.

— Não posso deixar você sozinha no banheiro, pode fazer tranquila que eu olho para o outro lado.

Depois da tentativa, sua barriga não consegue relaxar.

— Não vou conseguir.

A freira pega um pouco de papel higiênico e limpa o seu pinto como se limpasse as assaduras de um bebê.

Em seguida, coloca a fralda nela outra vez e a leva para o quarto. A sensação de bebedeira desaparece.

— Sinto um pouco de fome.

— Isso é bom sinal. Doente que come não morre, dizia meu avô. Verdade verdadeira. Já já lhe trazemos o café da manhã.

— Que horas são?

— Dez e meia da manhã. Daqui a pouco o sol bate na janela. Olha só. — Corre a cortina para que ela veja o espetáculo do sol espalhando luz sobre as coisas, a luz que se desloca através dos ipês-roxos do pátio, que estão mais floridos do que nunca.

Em pouco tempo Flor de Ceibo está tomando um café com leite saborosíssimo e bastante doce com fatias de pão caseiro e manteiga, mel, uma cumbuca com salada de frutas, um copo de suco de laranja e uma flor de ipê em cima da bandeja. E o pãozinho é macio e leve e a água é doce e tem uma fatia de presunto e um pedaço de queijo junto ao prato.

— Como me encontraram? — pergunta.

— Foi a cachorra. A Nené. Nossa cachorra. Veio procurar a madre superiora toda alvoroçada; era bem cedo, estávamos rezando o rosário da aurora. Saímos e vimos a Nené desesperada esfregando o focinho em você e então a trouxemos nos braços.

— Uns clientes me perseguiram e corri demais. Não me dei conta.

— Perseguiram para bater em você.

— Sim. Roubei os caras, as coisas deles estão na minha bolsa.

— Devem tê-las levado, na sua bolsa estavam só os documentos e as chaves de sua casa.

A irmã Úrsula solta um risinho que perturba Flor de Ceibo, pois se sente incomodada com o jeito que ela ri. Já a escutou rir antes. Lembra os documentários sobre a savana africana de *La aventura del hombre*. As hienas rindo ao redor de um animal morto.

Flor de Ceibo continua saboreando o café com leite enquanto ainda está quente.

— Pode dormir depois de tomar o café.

— Acho que consigo caminhar — diz Flor de Ceibo.

Fica de pé. A freira está a bem pouca distância de seu rosto. Cheira como um trapo úmido. A freira sorri com cara de estúpida e, ao fazer isso, um fio de baba pende e balança. Ela parece não perceber. Flor de Ceibo perde o equilíbrio e volta a se sentar.

— Fiquei tonta — se desculpa.

Em uma segunda tentativa, apoiada no ombro da freira, consegue dar alguns passos. Esses primeiros passos no quarto do convento são para ela o início de uma história nova, de uma mudança de sofrimento. Logo as portas do convento se abrem ante esses passos e ela vai conhecendo as paredes do lugar onde cuidaram dela.

Aparece uma cozinha muito iluminada, com muitos eletrodomésticos nas prateleiras, com forno para pizza e um fogão a lenha em uma ponta e outro a gás na outra. Uma geladeira de porta dupla e uma mesa longa com oito cadeiras de cada lado. E depois uma galeria, atravessando a porta, as colunas sufocadas de heras e flores minúsculas que parecem vivas graças ao tremular do seu amarelo. E mais além da galeria, um pátio, com videiras e damascos e pessegueiros e macieiras e limoeiros e cães brincando e gatos adormecidos nos galhos, e pássaros cinzentos como sementes, e atrás de tudo isso, a horta, com sua própria criação, mais selvagem que o Amazonas, com tamanha anarquia e saúde como jamais vista no mundo.

Cada vez mais, os passos de Flor de Ceibo se fortalecem. A irmã Rosa colhe na horta algumas abóboras verdes que se comem com o olhar, mas ao vê-la passar sorri novamente, como tinha sorrido para ela na estrada na manhã anterior. Mais além, a irmã Shakira dá de comer às galinhas, aos patos, aos perus, que a cercam como donos e senhores.

— Foi aqui que a Nené encontrou você — diz a irmã Rosa para Flor de Ceibo.

— É uma freira? — pergunta a outra meio entontecida pela caminhada e essas visões oníricas que teve conforme andava. Acreditou ver a freira mais velhinha de todas, a madre superiora, ordenhando uma cabra que cantava entre um jorro e outro.

— Não, é a nossa cachorra — responde irmã Shakira. — Nené! Venha, Nené!

E então se escuta sacudir no meio do mato um animal de bom tamanho, um ganido de fêmea que se espreguiça de uma sesta de começo de tarde e as pisadas de um espécime dos pesados. Logo aparece o focinho entre o capim baixo, quadrado, forte e pardo, e a pata do tamanho da pata de um cavalo. É alto e elegante, Flor de Ceibo se assusta ao vê-lo e cai de costas sobre a grama fofa. Nené se aproxima, a cheira e, por um segundo, Flor de Ceibo Argañaraz acredita que a viu sorrir.

— É mansinha, não tenha medo — avisa a irmã Shakira.

Uma gritaria vem da galeria do convento. Flor de Ceibo se levanta para ver e consegue localizar entre as folhagens e os animais no caminho duas freiras puxando os cabelos uma da outra, duas freiras brigando como duas vizinhas quaisquer. Debaixo do hábito não usam absolutamente nada. São um pelo só e um matagal de púbis escuro. A freira mais velha as separa, a quem chamam de Madre; separa as duas a varetadas, arrancando uns bons gritos delas.

Flor de Ceibo não respira, não pisca, não move um dedo. Nené está bem perto dela. Seu focinho feroz está a alguns centímetros do seu nariz. A freirinha de gestos muito ágeis lhe disse que é uma cachorra, mas isso não é uma cachorra. Isso é outra coisa. Como se lesse os seus pensamentos, Nené retrocede e uiva com um grito de bruxa. Dá meia-volta e sai perseguindo por diversão as galinhas no pátio.

— Ai, Deus meu, o que era isso! — diz Flor de Ceibo.

— Queriam matá-la, a atraímos com comida; tinha um irmão, mas um gringo o matou — acrescenta a madre superiora após separar as duas freiras que brigaram.

— Está prenha, você viu? — continua a madre superiora que, apesar dos seus anos, a ajuda a se levantar com somente um puxão. Força de titã. — As pessoas ignoram o que lhes convém e começaram a odiá-los porque dizem que são satânicos. E digo eu: como um animal satânico conseguiria viver feliz em um convento. Às vezes é preciso até cuidar para que não beba a água benta da igreja.

— Latia entre as minhas pernas como se estivesse me avisando de algo — acrescentou a irmã Rosa. — É inteligente. Ainda precisamos entendê-la melhor, mas é quase como falar entre nós. Permaneceu na sua porta a noite toda. Quando faz calor gosta de dormir lá dentro ou aqui no bosquinho.

— Está cansada? — lhe pergunta Shakira.

— Um pouco, mas gostaria de ficar um pouco no sol — diz Flor de Ceibo.

Chega o meio-dia e almoçam alguns sanduíches de queijo de cabra que elas mesmas produzem, com tomates da horta e ovos fritos. Os pães caseiros estão untados com a pasta de abacate que também vem do pátio do convento. Dá para perceber que Deus gosta muito deste convento.

Enquanto devoram os manjares com limonada, ouve-se um acidente na estrada, a cerca de duzentos metros do lugar. As irmãs Úrsula e Shakira abandonam seus pratos e saem em disparada para ver o que aconteceu.

— A Nené — diz irmã Rosa e pula do seu assento. — Por favor, termine de almoçar que nós vamos ver o que aconteceu.

Sai aos gritos, Nené, Nené, mas a cachorra ou o que quer que fosse não atende ao chamado.

— Não lidamos bem com as decepções — diz a madre superiora. — É um belo animal, mas muito malvisto. Os gringos são muito supersticiosos, você deve saber. Quando os veem no campo atiram neles porque têm medo. Certa vez veio um veterinário e nos disse que não eram domésticos. Falou o nome do animal mas eu esqueci. Vou te mostrar já como são domésticos — a madre superiora se levanta sem nenhuma dificuldade e com um gesto convida Flor de Ceibo a se levantar também, ela que estava tão entretida com o seu sanduíche. — Acompanhe-me.

Saem por um corredor fresco e limpo até uma porta como qualquer outra. A madre superiora a abre e diante dos olhos de Flor de Ceibo aparece um pátio que não é o pátio onde ela esteve pela manhã. Este é ainda maior e tem menos árvores, mais roseiras e algumas trombetas carnívoras que comiam de uma só bocada os colibris. Aos pulos, brincando por todo o pátio, há centenas de cachorros como Nené. Centenas daqueles cachorros com patas de cavalo. Enfiam-se entre as pernas de Flor de Ceibo ameaçando seu equilíbrio, mas a madre superiora a segura com sua força descomunal.

— Se não os preservamos aqui vão se extinguir — diz a madre superiora entre seus "ui, ui, ui" e suas risadas por conta da recepção daqueles bichos. — Vamos, voltemos para terminar de almoçar. Amanhã lhe apresento a todos, se quiser. Foram batizados. Batizei-os eu mesma no batistério da capelinha. Se o padre souber me mata.

Regressam até o refeitório e terminam de almoçar. Em pouco tempo chegam as irmãs Úrsula, Shakira e Rosa, com umas caras de dar pena. Shakira não para de dar voltas em torno de si mesma, como se estivesse desconectada de sua razão.

— Outra vez a Nené... atravessou na frente de um carro e para desviar dela bateram contra um distribuidor da SanCor.

— Houve mortos? — pergunta a madre superiora com indolência.

— A família do carro. Um casal com uma garotinha.

Flor de Ceibo pensa imediatamente em Magda, a menina que vimos conversar com ela no banheiro do posto de gasolina. Úrsula continua seu almoço, absorta.

— Sabem o nome da família que morreu?

— Não. Era um Ford Ka vermelho. Ficou destruído.

— E Nené?

— Não sabemos, saiu correndo para o outro lado da estrada. Foi isso o que falaram por lá — acrescenta Úrsula.

— Está viva, senão os outros estariam enlouquecidos — diz a irmã Shakira.

Levam Flor de Ceibo para o seu quarto e a deixam descansar a tarde inteira. De noite trazem o jantar para ela: sopa de legumes com meio abacate dentro, regado com limão. Chá frio para beber. É irmã Rosa quem a serve.

— Só não podemos deixar que vá embora.

— Como não? Eu vou quando quiser — responde Flor de Ceibo encorajada pela comida.

— Não pode. Nené nos pediu que ficássemos com você. Não pode ir embora.

Flor de Ceibo acha que a estão drogando com a comida. Joga a bandeja no chão e empurra a freira de sorriso maternal e a derruba contra um banquinho de madeira que fica diante de uma escrivaninha antiga. Ao abrir a porta, aparecem os cachorros enormes olhando para a irmã Rosa, que agora se bota em pé entre risadas e gemidos.

Flor de Ceibo quer sair, mas os cachorros grunhem e os pelos do lombo ficam todos arrepiados. Desconfia que é algo que não poderá resolver esta noite. O sorriso de louca perigosa da irmã Rosa lhe deixa um sinal brilhante como a flecha de néon do hotel de seus pecados. Volta para a cama e se entrega ao sono enquanto a freira recolhe a bandeja e os restos de comida.

VI

Pede com frequência para falar com seu tio, mas as freiras sempre inventam evasivas, desculpas que conseguem convencê-la de momento. E ela que mal pode andar como bêbada da cama ao banheiro não tem forças para insistir. Desperta de noite disposta a encontrar um telefone, já o ouviu tocar, deve estar próximo, mas quando não tem uma penca de cachorros parados em frente à porta, sua tontura é tal que volta para a cama e acaba adormecendo.

Uma manhã alcança a porta que dá ao pátio onde estão os cachorros e vê seu tio sendo despedaçado pelos animais. "Tomara que seja a droga, tomara que seja a droga." Mas é o seu tio, o rosto magro, os olhos afundados, o pelo da barba amarelado pela fumaça do cigarro. Os cachorros grunhindo uns para os outros em disputa por um pedaço do corpo. Uma mão a pega pelo cabelo e a obriga a se ajoelhar. Quando olha à contraluz, depara com a madre superiora completamente desnuda. Não tem um só lugar do corpo dela que não tenha pelo.

— Falei para você que seu tio não atendia o telefone. Agora sabe por quê. Ele fez muito mal a você, Flor de Ceibo, e merecia isso. Os cachorros não cometem injustiças.

VII

Nas noites de lua minguante, as freiras botam Flor de Ceibo desnuda no segundo pátio, o pátio enorme liderado pelos cachorros. Deitam-na em uma pedra sob a noite e desenham nela uma cruz invertida na testa, com sangue tirado da mão da madre superiora. Não importa a temperatura que faça. Chamam Nené, que vem correndo. Os cachorros permanecem deitados, e uivam enquanto as freiras organizam a celebração. Todas cantam salmos cristãos:

Deus está aqui, tão certo quanto o ar que respiro,
tão certo quanto a manhã se levanta,
tão certo quanto eu te falo e podes me ouvir.

Nené sobe na pedra, em cima do corpo de Flor de Ceibo, e a lambe, de ponta a ponta, com sua língua arenosa. Flor de Ceibo sente umas cosquinhas bárbaras e em geral se encontra chapada de vinho que as próprias freiras preparam com os pés. Em cada ritual a embebedam como se não houvesse amanhã. Ela participa contente uma e outra vez, sem resignação. Tratam-na como uma rainha, como uma estrela de cinema. Ali, sob a noite e em cima da pedra do sacrifício, Nené a beija inteira, pela frente, por trás, sem deixar um só cantinho sem raspar. As freiras tocam pandeiro e cantam. Ela solta suas gargalhadas para a lua minguante e se deixa conduzir. Logo, entre os aleluia aleluia e o fedor de cachorra, vê Nené ficar de pé e se converter lentamente nela mesma. Em Flor de Ceibo. O mesmo cabelo, a mesma pele, os mesmos olhos. A madre superiora lhe dá a roupa com a qual a encontraram no milharal e ajuda amorosamente Flor de Ceibo a se vestir.

Em toda lua minguante, Flor de Ceibo Argañaraz vê-se a si mesma partir do segundo pátio entre os cantos das freiras. Vai diretamente para a estrada. Gostaria de avisar aos clientes que não é ela, que é uma cachorra com patas de cavalo que provoca acidentes na estrada assim, por gosto. Mas não tem forças para perseguir Nené, a usurpadora de sua aparência. Em algum momento escapará, quando descobrir que tipo de ordem é a da Compaixão e como sair dali. Para ela é difícil criar coragem e ir, pois a comida é muito gostosa e os lençóis sempre cheiram tão bem.

Cotita de la Encarnación

Demos mais de cem nomes quando começaram a nos torturar. Não quisemos mandar ninguém para a fogueira, mas a surra e o medo ignoraram nossa vontade e nos convertemos em delatoras. Cada delação trazia mais ressentimento. No final, mordíamos tanto os dentes, obrigadas a falar, que comecei a mastigar estilhaços dos meus próprios molares. Dos mais de cem nomes, riscaram um a um os dos espanhóis. Eram intocáveis. Perdoaram-nos e deixaram cerca de cinquenta prisioneiros amontoados que eu via lá do fundo através dos meus olhos inchados por murros e lágrimas. Teriam sido pouco mais de cinquenta sodomitas presos naquele sótão durante o mês e nove dias que durou o nosso processo. Todos sodomitas do leste, índios, mulatos e pretos esparramados pelo solo como resquícios de uma guerra. Perdoaram-nos, aos estrangeiros, em nossa própria terra, por cima de nós. Dissemos uma e outra vez que os espanhóis absolvidos vieram ao oriente impelidos por nosso canto, que cruzavam até San Pablo esquecendo-se da

Coroa, das pedras da igreja e das recomendações de seus antigos livros. Mas não importou.

Dos cinquenta e tantos detidos, não sobrevivemos mais que dezenove. Morreram nos interrogatórios, no mesmo sótão onde mantinham a todos nós extinguindo-nos de fome e de sede, nadando em nossa própria merda aguada e em nossa urina ensanguentada de tanto que tinham nos rasgado por dentro. No mesmo México onde tudo abunda, onde tudo cresce e sobrevive. Quando ainda éramos cinquenta, soltaram os cães que encheram a pança com a carne dos que estavam mais próximos à grade. Soltaram-nos depois de uma escassez de dias até o fosso onde nos mantinham confinadas. Abriram as grades e soltaram suas correntes. Vieram para cima dos sodomitas que foram presos por último, logo depois de nós. O sangue orienta o sangue como uma bússola. Só é preciso derramar uma gota para fazer um rio.

As primeiras quatro, as que demos os nomes, estávamos bem ao fundo. As primeiras que aprisionaram. Encontraram-nos na noite de 27 de setembro, dormindo umas sobre as outras, mortas de medo, em uma casa que pensamos que nos esconderia melhor. Arrancaram-nos pelos cabelos, arrastando-nos. Eu rogava que puxassem de outra forma, por favor, pois ia ficando careca, mas não nos escutaram. Fomos jogadas ali embaixo depois de sermos açoitadas como bestas. Estávamos bem ao fundo da catacumba, soterradas pela sombra da nossa própria vergonha.

Juanito Correa, La Estanpa, chegou no segundo dia da detenção, foi a primeira que procuraram. Veio banhado em sangue e com o rosto fora de lugar por causa dos murros. Faltava-lhe um pedaço da língua que mordeu durante uma convulsão, de tanta paulada recebida na cabeça. E com o pedaço de língua que ainda lhe restava, jurou-me que toda a maldita Cidade do México iria cair, que aquilo de gozar às escondidas iria acabar. Com o mesmo pedaço de língua me consolou por minha debilidade, por ter dado os nomes daquelas que foram minhas amigas, minhas amantes, minhas mentoras, meus maiores amores.

Recordo o sol sobre minha bunda como os olhos de um deus acalentando minha pele. Eu saltava sobre a pica do amante, aquele, de quem de nada mais soube. Alto o sol da tarde, debaixo dos salgueiros-chorões que nos cobriam com suas lágrimas, o Texcoco salgado escutando meu acasalamento. Enquanto subia e baixava de seu pênis, rogava para ter as tripas limpinhas para não arruinar o momento com nenhum rastro de merda, já que gostava daquele amante que tinha dentro de mim, além de ser virgenzinho. Quão sortudo ele se sentia! Debutava nada menos que com o corpo da grande Cotita de la Encarnación, Juan de la Vega Galindo, a mais asseada, travesti amada por sua mãe, querida pelos vizinhos, traída por sua amiga num 27 de setembro, recém-iniciado o outono. Ainda lembro a quantidade de vezes que cuspi na palma da mão para lubrificar nosso pecado diante de tais testemunhas divinas: as árvores, a água, o céu e o sol. E recordo também os risinhos que ignoramos porque tudo era tão bonito entre os dois que permanecemos gozando como bestas. Contudo, alguém nos espiava, alguém sabia o que não podia ser sabido.

Juana, uma lavadeira com quem por mais de mil tardes lavei no lago a roupa de tantos, foi quem nos descobriu um em cima do outro. Correu para as autoridades e desenhou um raio entre minhas costas e seu dedo. *Juana, me mataste*, falei para ela, mas ela olhou a terra e a terra lhe virou a cara. *Juana, me mataste*, falei para ela, *a mim que brinquei com teus filhos, a mim que dispus panos com água fria sobre a testa de teu Miguelito quando a febre ameaçava levá-lo para a Ossuda. Não compartilhei meu milho e meu chocolate contigo? Não rimos juntas, como amigas, uma com a outra, ao ver os macacos brigarem por uma banana? Não te consolei quando teu esposo bateu em ti? Não o amaldiçoei, por acaso?* Mas Juana não me escutou mais, ela fez o que fez, nos delatou por fazer amor como os cães.

Tu, e tu, e tu! E também tu estiveste em minha casa. Bebeste da água fria que te servi com generosidade, gritava La Estanpa, apontando um por um os curas que desciam para nos jogar água benta. *Que saibam! E este guarda que está aqui parado, e também aquele que me bateu na cabeça até me fazer tremer, todos vocês comeram meu cu como se no mundo não restasse mais pão.* No entanto, ninguém mais a ouvia, cada um devia saber se dizia a verdade, e justificavam-se entre todos que a desgraçada estava louca. Tudo o que faziam era apontar para nós com suas cruzes. E La Estanpa, como que possuída, amaldiçoando todo o México. Amaldiçoou tanto que um tremor derrubou os soldados no chão, deixando-os brancos de medo.

Durante um mês e nove dias nos relegaram àqueles sótãos onde às vezes recebíamos a visita de espíritos muito antigos, espíritos que haviam aprendido a falar escutando os homens nas suas primeiras fogueiras, no início de tudo, quando o mundo ainda estava limpo. Lamashtu, Lamashtu. Vozes muito velhas vinham nos recordar de que ainda podíamos chegar a comer do prato da vingança. *Afundem esta cidade, amaldiçoem-na. Sequem o Texcoco.* Uma voz confiável, uma voz ouvida toda a vida. Lamashtu. Fiquei em pé, enojada, depois de ter chupado os ossos roídos que os cães deixaram, e condenei o lago onde lavei roupa e fiz amor. *Que seque, que coma esta cidade até fazê-la desaparecer por completo.*

Antes de nos deixar sair pela primeira e última vez ao dia transparente do México, um homem atarracado e sujo veio ao sótão na companhia de cinco soldados. Era a mão direita do vice-rei, um estrangeiro maldito como outros. Cortou as pupilas de treze dentre os que ainda vivíamos com um caco de vidro. Dele eu conhecia até o nome dos piolhos que pululavam nos bagos. Minha choça o conhecia de trás para a frente, vestido e desnudo, digno e maculado. Talvez por isso deixou que eu conservasse meus lindos olhos índios. Quando partiu, entre alaridos e maldições sodomitas, vendei uma por uma as treze maricas cegas com as roupas que haviam resistido às dentadas dos cães. Beijei seus olhos para sepultar os seus olhares. La Estanpa gritava que não necessitava dos olhos, continuava a vê-los perfeitamente, recordava seus nomes, iria se vingar de cada um deles.

Dos dezenove que iniciamos a marcha para o fogo, apenas catorze chegamos a San Lázaro, onde estavam os leprosos. As treze cegas e eu. Demos o primeiro passo sabendo que muitos dos que ali caminhávamos não chegaríamos a arder como merecíamos. Recordo as línguas alaranjadas tão altas que pareciam querer queimar as nuvens com seus arranhões de fogo. A lenha ainda tinha aquele perfume violento do verão recente, a madeira gotejava resina mal a aproximavam do calor. As chamas pareciam desenhar nossa futura dança com o diabo.

Ao redor as pessoas riam, bebiam vinho; bailavam com redemoinhos, como se vissem anjos passando diante de seus olhos. Nós, anjos caídos, postos em vergonha diante de todos. As cegas tropeçavam, caíam, voltavam a se levantar. Assim eram, como um axolotle. Eu via na multidão mãos que seguravam pedras do tamanho de uma cabeça humana, lanças afiadas e eriçadas, os rostos deformados entre o riso e o grito. Dávamos tristeza, desnudas. *Cotita, Cotita, que sabor tem a carne*, gritavam. *Juanita Correa, como teu cu sangra, ó pecador*. O barro ia surgindo sob nossos pés, urinávamos, cagávamos uma merda líquida como os pássaros. Aterrorizadas. Muitas choravam. Uma começou a falar na língua materna, cega debaixo dos trapos que usei para conter a hemorragia. Língua de índias, a língua de nossas mães. Caía a tarde e sobre o Zócalo eram desenhadas sombras acariciadas pelas crianças que brincavam com palitos, como espadas, matavam umas às outras como grão-senhores. A última visão, como uma última ceia. Todas as cores das índias se despediam de nós, elas que nos olhavam assustadas detrás da aglomeração de pessoas. As índias choravam, abrigavam-se com os xales, e meu coração tossiu de pena, arranhou-se por dentro, e pensei como os mataria, um a um, com que prazer os teria comido crus. Os homens que amara e que agora estavam ali nos desejando mortas. Os vizinhos. Juana Herrera, que me condenou a esta morte. Os vizinhos que revelaram com pelos e sinais meus amores pela noite. Os demais. As mulheres de quem cuidei dos filhos. Mulheres a quem dei abrigo quando seus esposos as botaram para correr de suas casas. Mulheres para quem comprava tortilhas e frutas no Zócalo, mulheres com quem compartilhei um ramo de alguma planta que crescia na minha casa. A todos, com quanta satisfação eu os teria matado.

Chafurdei em todos os homens que jogavam imundícies em nós, como a grande puta que era, a sereia puta do lago Texcoco. Trepei com centenas daqueles homens, ensinei-lhes tudo tudinho sobre o amor, não lhes ensinei mais pois... porque já não restava nada a ensinar. Ensinei-os a desejar, a respirar de perto e a dizer coisas bonitas misturadas a porcarias para mim. Acostumei-os à sujidade do amor, ao seu cheiro de cocô, às comichões e gotejamentos, às pústulas, às bolhas e febres, às crostas e vergões, aos ardores, aos machucados que ficam depois de se brigar corpo a corpo com um outro. Acostumei-os ao sangue e ao hálito limpo após beber muita água e mascar menta, a lubrificar-se com o muco das plantas, a comer frutas na medida em que, com nossa fornicação, faltávamos ao respeito ao *quedeusmanda* e ao *queoreiordena*. Ensinei-lhes a perder a vergonha de estar nas mãos de outra pessoa, pelados e cheios de apetite. Inclusive ensinei-lhes a fazer amor com suas mulheres. Eu os teria comido inteiros, deitados na grama onde eu mesma dormia toda noite, sob as flores da bananeira que precisava trocar após cada chuva. Quando faziam amor comigo, pareciam nadar num rio moreno, oleoso. Eu deitava óleo como uma lamparina rachada, eles sabiam quão escuras eram as trevas de dentro do meu cu, a noite longa que escondia entre as nádegas, a pele estriada da cintura e das axilas, meu cabelo preto e liso, raleado pelos anos em que estava na Terra. Conheciam ponto a ponto os fios de meu espartilho, as fitas coloridas que pendiam de minhas mangas, o sinal que deixava para lhes dizer o caminho até a minha boca, minhas mãos e meus intestinos. Dera-lhes de beber chocolate na boca. *Que delícia é o teu chocolate, Cotita*, diziam, e eu melava as nádegas de chocolate fervente e eles me lambiam. *Não estejas suja, Cotita*, eles diziam, e eu me retorcia e lhes respondia que daquele poço podia se beber água com tranquilidade.

Sim. Eu chamava aqueles homens de minha alma, meu amor, claro que o fazia. Era forjada na pieguice. Minha mãe índia lavava a roupa ao entardecer em um cocho brilhante e limpo. Minha mãe me dava de comer na boca flores de abóbora quando era pequena e adoecia. Minha mãe foi a primeira a me chamar de Cotita, renunciou ao meu nome de batismo, nada de Juan para ninguém. Eu os chamava de meu amor e eles pagaram com a fogueira. Uma longa canção de amor mexicana. Também fui isso, além de pecadora. Um poema escrito por Rosario Sansores. Uma Llorona com pica que se arrastava de noite sobre as flores do cemitério. Um coração que falhava ao pulsar na voz de Chavela. O tesão de La Doña contra os medíocres que nos queriam de joelhos e em silêncio. Isso é como eu era então e não sabia. No caminho, enquanto vinham de todos os lados as pedradas e cusparadas, eu lamentava apenas por meu corpo.

A caminhada não durou muito. Obrigavam-nos a caminhar sob ponta de lança. Já estávamos perto da fogueira, porém minhas entranhas seguiam para trás, para muito longe, quando ainda era menina e não existia poder divino que me obrigasse a não sentar no chão como as mulheres e a não ajustar meu cinto com fios coloridos e a não requebrar as cadeiras ao dançar. Vi a toalha de mesa que minha mãe bordou no dia em que parti de sua casa para viver minha vida, para perto dali, onde aluguei uma choça na qual tacaram fogo.

A casa onde dancei e pequei e pequei até que se tornou impossível sair viva daquilo. Recuei tão para trás – talvez alucinando com a fome que afinal conheceria seu fim – a ponto de ter entre as mãos, no caminho da vergonha, a toalha de mesa que minha mãe me presenteou no dia em que parti. Ela bordou um peru esplendoroso, um peru valente que olhava para a frente desafiando meus olhos. Os olhos que o inquisidor conservou. Meus olhos que viram o amor nos olhos de muitos amantes, uma espécie de pedra transparente dentro da pupila. Algo que queriam me dar pra usar como pingentes, pra que minha mãe bordasse nas minhas saias. Meus olhos que haviam brincado com quase todas as crianças de San Pablo. Os olhos de Cotita de la Encarnación, que cuidara dos filhos alheios e os quisera mais que à própria mãe. Ensinei-lhes a contar e a fazer suas orações em silêncio, pra que os anjinhos os protegessem e pra que o animal em que o espírito se converte quando dormimos fosse forte e bravio. Os meninos vinham para o meu colo, *tia Cotita*, diziam, esquivavam-se das galinhas, dos cães e das cabras, das plantas carnívoras que os acariciavam ao passar. Traziam-me fruta, enchiam meu colo de frutas. Presenteavam-me com rãs de todinhas as cores, *tia Cotita, gostamos muito de ti*. Seus pais me conheciam, sabiam que era honrada, que jamais fiz mal a alguém, nem à sagrada terra do México, nem ao pó dos mortos sobre o qual caminhávamos, nem à visão de Deus de um céu muito longínquo. Os meninos também gritaram de júbilo. Eles também celebraram quando viram minha choça arder. Eles também cuspiram.

    Lavara suas roupas. Conhecia deles o cheiro de cima a baixo e de mais embaixo ainda, conhecia deles as manchas de tudo o que pode manchar um corpo. Lavava suas roupas e as secava ao sol, como se fossem minhas. Tingia suas camisas com beterraba e defumava seus humores com copal.

Empurravam-nos para a fogueira e ao mesmo tempo nos feriam com suas lanças. As pessoas celebravam como se fosse Ano-Novo. Começaram a arder, um por um, os sodomitas do povoado. O ar empesteou com o lamento e o cheiro de comida, de carne assada. Os anciãos cobriam o nariz com seus lenços embebidos em vinho, que lhes deixavam os lábios pretos e as barbas violeta. Gritavam com desespero e ao final já não lhes restava garganta e somente ardiam. A carne queimada penetrou minhas narinas e me privou para sempre de qualquer outro cheiro.

Fui a última a arder. Antes, mordi a orelha de vários e ali mesmo me racharam a testa com um porrete. Não sei se foi a quarta ou a quinta vez que me caguei por causa da dor. Queimei, durou eternamente, é preciso morrer numa fogueira para saber quanto tempo dura a eternidade. Quis me arrancar a mim mesma de mim, arrancar o que doía. Com as lanças me sustentaram entre as chamas. E quando a dor se extinguiu e tudo se tornou estrelas, vi uma mulher com cabeça de porco. Tinha garras de gato nas mãos e uma grande cicatriz no ventre. A voz de minha mãe cantou uma canção em náuatle, estava grudada em mim; eu, que havia desmantelado de dor, voltei a ser um corpo e a mulher com cabeça de porco me disse: *Lamashtu. Fique com seus filhos. Fique com eles, Lamashtu.* Era a mesma voz que nos aconselhara no sótão onde ficamos presas.

E então soube que voltaria a este mundo uma e outra vez depois de morta. Entregaria minha bondade ao Lete, beberia um gole de sua água para esquecer e regressaria a este mundo para rastejar debaixo de suas camas, plantar pequenos cânceres nos seus estômagos, em seus pulmões. Faria crescer-lhes pelotas de unhas e pelos entre órgãos e músculos. Regaria com doenças a existência de seus descendentes, de todos aqueles que me encontraram na noite de 27 de setembro de 1658 e dos que me viram morrer nas chamas um mês e nove dias depois. Meteria na carne de seus filhos minha alma ressentida. Mataram-me, então ficaria com seus filhos. Ainda crianças, eu os tomaria, quando ainda não diferenciam a crueldade da bondade e ali, naqueles corpinhos de nada, depositaria meu vício travesti. Permaneceria em sua carne até o enterro e uma vez morta voltaria e procuraria outro, filho, neto, tataraneto, talvez de todos os que me traíram. Eu os usurparia de noite, mudaria seus nomes, seu reflexo no espelho. Iria matando a esperança de vê-los se converter em homens e os perfumaria com óleos para mulheres, com trejeitos de mulher, os envolveria em ripas e colocaria dentro deles, bem lá dentro, uma fome terrível por seus esposos, por seus generais, por seus presidentes, por seus bispos e papas, por seus filhos, por seus irmãos, por seus netos, por seus chefes e seus escravos. E depois eu treparia com todos.

Quando restaram somente as cinzas e os tições dos catorze sodomitas que arderam naquela festa alegre, continuei a amaldiçoar e a desatar pequenas tragédias na vida daquela gente. Quando lançaram os restos da matança ao lago Texcoco, nós começamos a secá-lo. Já não resta nem mesmo o seu sal.

Seis tetas

Sodomítico dícese del pecado en el que caen los homes yacendo unos con otros. Et porque de tal pecado nascen muchos males. Cada uno del pueblo debe acusar a los homes que fascen pecado de luxuria contra natura, et este acusamiento debe ser fecho delante do judgador do ficiense tal yerro. Et si les fuera probado, deben morir tanto el que lo fasce, como el que lo consiente.

"Las Siete Partidas" ou "El Código de Alfonso el Sabio"

O pássaro perdeu sua cor. As plumas de sua cauda, antes vermelhas ou amarelas, agora não têm cor. Parece um pássaro feito com saliva. Seu canto, amargo como um bocado de merda, arrepia meus cabelos, aqui, na montanha. Escrevo e escrevo. É preciso escrever o que aconteceu conosco. Os acontecimentos fervem, todos os dias nos deparamos com más novas da natureza. Nada aqui é tranquilo. Tudo está vivo, tudo arranha, morde ou envenena. É preciso escrever, é necessário escrever, agora, no fim do mundo. Me fazem companhia as minhas cachorras e o pássaro transparente que, de tão ladino, perdeu sua cor. Os dias são muito quentes, as coisas são vistas como se estivessem atrás de uma cortina de náilon. As iguanas saem disparadas por essa espécie de areia que ferve sob os pés. Meus queridos pés de homem, meus pés enormes, com calos, joanetes, infecções nas quais vermes se retorcem e se desejam como serpentes. Esfria durante a noite, jogo minhas lãs por cima, vou me cobrindo como posso; limpo, cozinho, crio meus animais. Mas sempre chego tarde demais para escrever. Acompanho bastante atrasada o que aconteceu, e apesar do meu atraso, escrevo e penso no mundo que deixei para trás, faz muitas vidas.

É preciso escrever, desde o princípio, para preencher as horas na natureza que nunca se cala. É o que o corpo sabe fazer. Esse é o costume de minhas mãos e do meu pensamento, o costume que vem da vida anterior, quando escrevia sobre cinema e às vezes sobre literatura num jornal da cidade. Repercussões que certos livros ou filmes tinham em minha vida, atuações que me deslumbravam, escritoras que me enlouqueciam, contava a vida de atrizes inesquecíveis como Carmen Maura ou Annie Girardot, e contava a vida das escritoras também. Toda semana escrevia sobre isso e também tentava escrever um romance que ficou na minha velha casa. Tinha prestígio e um salário que me permitia ser feliz. Digo isto: o dinheiro me fazia feliz.

"Essa vida é muito cara e vai ser cobrada." La Machi enviava seus pássaros camaleões às casas de todas as travestis da cidade e nós, distraídas e amancebadas, pensávamos que tinha enlouquecido. La Machi era muito velha. Já levava muitas vidas sobre a Terra. Acreditávamos que iria morrer logo e ainda não nos tinha nascido nenhuma Machi nova que guiasse o destino das travestis de minha época. "O céu avermelha muito cedo, estão planejando uma matança." Os pássaros camaleões chegavam a nossas janelas com as mensagens que La Machi escrevia amarradas nas pernas e, eu pelo menos, tomava isso como o delírio de uma velha, uma ameaça contra a nossa riqueza.

Me faltou lucidez.

Primeiro veio a Claudia e disse que em uma das casas onde fazia faxina por hora o marido milico da patroa lhe pedira que tivesse cuidado, que não saísse sozinha na rua. A partir desse conselho, ela se fez acompanhar por seu bofe toda vez que saía do trabalho. O militar não lhe dissera por que, mas ela ficou com medo. Em seguida, a Rufiana apareceu no meu apartamento, completamente afobada por ter corrido uma maratona ao escapar de um grupo de adolescentes que a apedrejou.

E La Machi insistiu: "Saiam daqui". E os bilhetinhos atados às pernas dos seus animais ficaram cada vez mais imperiosos. Mas estávamos muito ocupadas em gastar nosso dinheiro, em fazer nada para que nossos focinhos não ficassem cheios de rugas.

As atrizes e as cantoras travestis começaram a ser acusadas, nos programas de fofoca e nos noticiários, de pederastas ou de estupradoras. Depois vieram as políticas e as professoras, as jornalistas, as escritoras, e em pouco tempo todas tínhamos a lâmina de uma espada pousada sobre nossas cabeças.

Por último, passamos a escutar o esvoaçar dos drones que gritavam com voz robótica:

TODO TRAVESTI DEVE MORRER E, COM ELE, TODOS QUE OS TOCARAM TRÊS VEZES! COLABOREM COM O MUNDO. MATEM UM POUCO!

A polícia se desculpava. Dizia que os drones não pertenciam às forças de segurança. Zombávamos, considerando que deviam ser fanáticos religiosos. Zombei até mesmo do slogan: sem saber, o velho Prévert lhes dera aqueles versos tão bonitos: "Então matem um pouco", "Uma passeadinha e vai-se embora". Quem quer que tenha escrito o comunicado, gostava de poesia.

Faixas, propagandas de televisão e rádio, manifestações na rua, lambe-lambes, folhetos nas escolas, pregadores nas praças, tudo colaborou. Mas nem o governo, nem o exército, nem a polícia sabiam nos dar respostas.

"Não vai dar tempo de procurar os culpados! Corram, suas merdas!" Os pássaros continuavam a insistir. Pensávamos que, se acontecesse algo grave, La Machi apareceria em pessoa e convocaria uma reunião, porém os dias passavam e os drones malditos começavam a gritar cada vez mais cedo e se calavam cada dia mais tarde:

AOS CIDADÃOS LIVRES E DECENTES, CHEGOU A HORA DE TERMINAR COM ESSA DEGENERAÇÃO QUE MINA A PAZ DE NOSSAS FAMÍLIAS. MATEM UM POUCO. MATEM MAIS. MATEM OS TRAVESTIS E TODOS AQUELES QUE OS TOCARAM MAIS DE TRÊS VEZES.

Morrer junto com todos os que nos tocaram mais de três vezes. E como poderiam ter certeza de algo do tipo? Como poderiam comprovar que fulaninho tocou uma travesti mais de três vezes?

Não passou nem um mês desde que os drones fizeram sua trovoada nos céus para matarem a primeira. Vi no Instagram o vídeo com milhões de curtidas e comemorações de todo tipo nos comentários. Prenderam uma travesti numa loja de roupas e encheram sua boca e suas fossas nasais com as peças que ela provava até asfixiá-la. As vendedoras aplaudiam. Naquele mesmo dia, meu filho chegou da escola e se trancou no quarto, gritando que não queria mais sair dali, que a culpa era minha. Que na escola tinha cartazes com as convocações: "Matar travestis e todo aquele que os tenha tocado três vezes".

Os drones pediam aos demais que nos assassinassem e tínhamos esquecido uma violência original e transparente que nos servisse como defesa, a violência honrada que auspiciou nossa perpetuação.

Uma tarde, voltava do trabalho sem acreditar em como o clima mudara em tão poucos dias. Como as pessoas permaneciam em silêncio quando passava perto delas, na rua, na redação do jornal, no supermercado. Todas se calavam e olhavam para o chão, envergonhadas. De repente, bem perto do meu apartamento, quatro garotos atravessaram meu caminho. Usavam uniformes do colégio, as mochilas pendendo dos ombros. Pareciam meu filho, talvez tivessem a mesma idade. Fecharam minha passagem. Um gritou que eu era um degenerado e arremessou uma pedra que acertou meu flanco esquerdo. Depois outro atirou mais pedras, todas endereçadas às minhas pernas; começaram a arrancar as pedras soltas do calçamento e a jogá-las com mais e mais crueldade.

Não passavam de garotos, o que eu podia fazer! Até um deles caprichar na pontaria e me acertar bem na cabeça, derrubando-me no chão. Mal passou minha tontura, levantei-me como se fosse matá-los, a fim de comer sua carne crua. Mas um já vinha para o meu lado com o chicote erguido e zás, acertou bem o canto do meu olho. Assoviou ligeiramente no ar e quando acertou minha sobrancelha a dor quase me levou ao desmaio. Só estávamos nós no calçadão – os dias de chacina amedrontavam a vizinhança –, os quatro pirralhos e eu. De um salto, como se nunca tivesse esquecido que fui uma fera um dia, joguei-me no pescoço de um deles e arranquei-lhe um pedaço de carne através do qual sua vida escapou. E acertei uma voadora bem no meio da testa do que usava o chicote, na sua bela testa de menino bem alimentado, e caiu morto. Os outros fugiram gritando que tinha um travesti ali, e escutei o tremor nos paralelepípedos da alameda e soube que vinham atrás de mim.

Ao chegar ao meu apartamento, encontrei meu filho cuidando de um grande corte que o meu marido tinha nas costas. Fora acusado no trabalho de ser um dos desonrados. As mulheres disseram para ele fugir e, enquanto o perseguiam, arremessaram contra ele um computador dos grandes. Abriu um talho nas suas costas que parecia a promessa de uma asa.

E corremos, simplesmente corremos.

Em nossas casas ficaram os micro-ondas e as banheiras de hidromassagem e as depilações definitivas e as cirurgias plásticas e as confortáveis almofadas de penas nas quais repousamos nossos corpos acostumados à boa vida. Para trás ficaram os sofás nos quais fizemos amor, as duchas quentes de quando chegávamos em casa, as janelas fechadas durante o inverno para acumular calor. Na minha escrivaninha ficaram as entradas para a peça de teatro que eu e meu marido veríamos no final de semana seguinte e uma xícara de chá quente que preparamos para tranquilizar nosso filho. As fotografias, os vestidos, a lingerie ao lado de um sabonete exótico, as recordações das viagens e o biombo do banheiro com a paisagem do monte Fuji. Meu filho chorava por causa dos seus brinquedos, por causa dos seus cadernos, por causa dos seus desenhos grudados nas paredes. Por causa de seus amigos que, aterrorizados, arremessaram pedras na cabeça dele. Por causa de suas professoras, que o arrastaram pela sala de eventos sem levar em conta quantas vezes tinham-no consolado em seus anos de estudante, quando zombavam dele porque era filho de uma travesti ainda viável, não proibida como agora. Meu marido ia mudo, com olhos bem abertos. O pássaro que trazia avisos e mudava de cor voava sobre nossas cabeças. Tinha urgência de que escapássemos.

    Descemos as escadas encobertos como foi possível, para que os vizinhos não nos reconhecessem. Ao chegarmos na rua, um silêncio novo nos recebeu, algo tristonho e denso como a inveja. Nosso carro, que fora comprado em vinte e oito parcelas com meu salário de jornalista, estava numa garagem e não nos atrevemos a seguir até ele, pois não sabíamos como o vigia noturno reagiria. Caminhamos colados às paredes por essa cidade que tossia tiroteios e gritos de travestis que pediam piedade. Meu filho não quis andar. Disse que ficaria, que não daria mais um passo e que tudo aquilo era culpa minha. Não podíamos carregá-lo. Levávamos comida e água e roupas, e pesavam como todas aquelas mortes. Implorei para que não erguesse a voz, para que não chorasse, alguém poderia escutar. Meu marido teve menos paciência e bateu nele, no filho a quem amávamos mais que qualquer coisa. Meu filho gritou e ele tapou sua boca com aquela mão enorme com que também o acariciava. Olhou nos seus olhos e meu filho entendeu. Não sei quanto levou até conseguirmos nos aproximar dos limites da cidade, onde algumas mulheres com lenços na cabeça espreitavam por detrás das grades de suas casas as figuras fantasmagóricas que apareciam naquelas paragens. Travestis ensanguentadas, mutiladas, nas últimas e nas penúltimas. Travestis que carregavam seus pais nos braços, travestis muito velhas, algumas que não chegavam a ter quinze anos. Por ali descansamos pela primeira vez.

Uma das que se recuperavam da fuga disse que eles sabiam tudo de nós. Onde vivíamos, em qual rua, em qual andar e em qual apartamento, no que trabalhávamos, se tínhamos família ou não, a que horas saíamos e a que hora entrávamos. Disse também que o objetivo era nos deixar sem La Machi, que foi a primeira que quiseram assassinar a fim de nos desorientar.

— Liguei para a polícia quando quiseram incendiar minha casa, mas eles ficaram dando risada e desligaram na minha cara — disse uma das travestis que perdia sangue por todos os lados, enquanto uma das mulheres do último bairro da cidade a envolvia em trapos embebidos em álcool iodado para estancar a hemorragia.

As vizinhas corriam e davam para nós o que tinham conseguido quase de contrabando. Água, sanduíches, álcool, antibióticos, bandagens.

Ainda não amanhecia. A noite, outra vez, nos protegia.

Socorríamos aquelas que estavam feridas, tentando entender o que acontecia, decidindo para qual lado fugir, quando apareceu uma menina de meros onze anos. Quando ela viu a gente, desmaiou com um gemido. Meu marido carregou a menina nos braços e percebeu que estava cheia de hematomas. Suas calças estavam manchadas de sangue. Meu filho perdeu a voz.

As mulheres que nos socorreram esperavam novos grupos de fugitivas que precisavam da ajuda delas. Pareciam organizadas e ao mesmo tempo atemorizadas por fazer algo proibido.

— Não as tocamos — disse uma delas mostrando as palmas como prova de sua inocência. — Não botamos um dedo nelas.

— A gente tem de se enfiar no meio do campo e precisa fazer isso agora — meu marido ordenou.

Pedimos para as mulheres avisarem as demais para onde iríamos. Confiamos nelas, sem saber por quê. Agradecemos de joelhos e seguimos em frente.

Comecei a baixar as outras, e mancas, mutiladas, machucadas e sem forças demos os primeiros passos do nosso êxodo. Ultrapassamos o anel viário, pulamos as cercas e enveredamos campo adentro. Logo o sol desenhou nossas sombras alongadas sobre o capim e não eram mais sombras humanas. Sirenes eram escutadas ao longe, os berros dos drones, disparos e alaridos de gelar o sangue. E um grito mais próximo, aqui, no grupo de pessoas que fugiam comigo:

— Filha!

Era minha mãe. Conseguira escapar. Correu até os meus braços como uma menina que encontrava a mãe depois de se perder dela na rua.

Caminhamos longas horas nos desviando de todo e qualquer sinal de vida humana, margeando os caminhos e entrando pelos canaviais. Minha mãe tossia sem revelar pormenores de sua fuga. Toda vez que lhe perguntava como fora, ela respondia negando com a cabeça. Falava com outras que se juntavam ao êxodo. Ela ia de travesti em travesti averiguando detalhes, elaborando teorias e confirmando suspeitas, em seguida retornava e me contava tudo. Para que eu escrevesse. Para que a escrita recorde por mim.

Seguimos por debaixo da terra, pelos tetos, no porta-malas dos automóveis, dentro de sacos de lixo, fugimos como pudemos, cobertas de panos, sem ser definitivamente nada. Fomos pela rede de esgoto. Aqueles que queriam nos matar pisavam nossos calcanhares, seus cachorros nos farejavam, babando pelo cheiro de nossa carne. Mal podíamos andar com os restos de nossas vidas, aquilo que tínhamos arrebatado sem sobreaviso.

Quase ao sopé da primeira montanha, um grupo de assassinos nos alcançou e tivemos que brigar com dentes e unhas. E muitas morreram. Também vimos os corpos velhos de nossas mães morrerem. A minha gritou e caiu morta, as balas perfuraram suas costas. Meu filho quis largar do pai e correr atrás de sua avó, mas o pai foi forte e o arrastou para o Espinheiro. Eu pedi por favor que parassem pois era uma idosa, e não tinha nenhuma responsabilidade por aquilo, não era mãe de ninguém, estava senil e fugia apenas por medo, porém os homens e mulheres em nosso encalço eram surdos e cegos.

Chorei enquanto avançava, não conseguia parar. Seguíamos na direção das serras. Os caminhos de pedra estavam calados. Subimos a montanha e a mata repleta de samambaias nos feriu com sua fauna. Os morcegos nos drenaram. Meu filho não dormia, muitas vezes não quis caminhar. Meu marido carregava seu corpo. A menina que trazia nos braços desde o limite da cidade morrera horas atrás. Demorou muito tempo para perceber que não respirava mais. Como a mulher de Ló, dei muitas voltas para me despedir de minha casa lá em Sodoma; esperava virar sal, ficar fincada na terra como uma árvore, mas não, não me deixou. Não quis. Não sei quem se preocupava comigo lá do outro lado. Talvez as legiões de espíritos que alimentamos em nossa casa.

Quando percebemos que já estávamos longe, sob o sol de um meio-dia que prometia nos queimar vivas, improvisamos barracas com vestidos e colchas e descansamos até o anoitecer. Sem acender fogo por medo que o brilho delatasse nossa presença, a gente se sentou em círculo para refletir acerca do acontecido.

Nossos telefones celulares começaram a se apagar, um após o outro. Ninguém fechou um olho naquela noite. A Luz Malévola bailava ao nosso redor como uma odalisca de fogo. Antes do amanhecer, juntamos os trapos e continuamos a marcha.

Logo chegamos ao Pampa de Achala e sentimos frio e um grande desconcerto. Meu marido, que costumava escalar qualquer pedra que aparecesse perto da cidade, disse não reconhecer aquela montanha que se divisava a distância.

— Aquilo não estava ali, ao menos até dois meses atrás — disse, e outros homens que vinham conosco concordaram.

— Mas convém seguir andando.

— Não é uma miragem — disse uma voz travesti mais ao fundo. Era La Machi, que vinha sobre o dorso de um cão enorme, quase da altura de uma mula, porém muito mais veloz.

Um cão branco mesclado com manchas escuras. Ficamos todas em silêncio quando atravessou a caravana para ir até a dianteira. Carregava um saco repleto de escopetas carregadas. Distribuiu-as entre aqueles que sabiam usá-las e disse:

— Se vocês pararem de se lamentar, escutarão que a terra sozinha vai nos guiar.

Entre nós, várias desmoronamos. Caímos de joelhos como diante de um anjo. Muitas de nós não a tínhamos visto nem uma só vez na vida. Muitas a esperamos quando começou essa merda toda, pensamos que nos salvaria com sua magia, com os feitiços que ela aprendera e inventara ao longo dos seus anos todos sobre a Terra, mas estava velha e recuperava suas forças em algum rincão do país, e não podia enfrentar toda aquela maldade reunida. Mas aqui estava, tinha chegado, e vê-la em cima do seu cão, com seus pássaros camaleões revoando acima da cabeça, foi como ver Deus.

La Machi conhecia bem a paisagem. Crescera no cume da serra, acima de todos os rochedos, acima e mais acima ainda de todos os córregos e cascatas, longe do pampa que com seus talos ásperos cortava nossas canelas nuas. Ela nos avisou das serpentes que sumiam em agonias sem paz. Escorpiões que nos deixariam podres em questão de segundos, caso nos cravassem seus ferrões. Nós a seguimos. Adormeci enquanto caminhava pela primeira vez. Nem meu marido nem meu filho se deram conta da sonâmbula que andava ao seu lado.

Depois de horas e horas, a ponto de rachar as plantas dos pés com as pedras afiadas dessa nova paisagem, La Machi deteve a marcha e acariciou a vegetação do lugar. Colou seu ouvido ao chão e escutou o rumor das raízes buliçosas de juventude e força, a ferida que faziam ao brotarem na superfície.

Começou a sussurrar o mantra de sempre: *Naré naré pue quitzé narambí*. Adormecemos com essa oração e, ao despertar, as árvores densas como paredes nos apartaram do mundo.

 Aqui construímos nossa casa. Primeiro veio um dia e a carne de nossa família renegava. O clima era outro e perigos que tínhamos esquecido voltaram a andar entre nós. Não sabíamos como nos proteger, como construir um teto seguro, para que lado orientar nossas janelas. Depois veio o segundo dia e pensamos em comer e em beber água e saímos para conhecer o lugar. E logo veio o terceiro dia e meu marido teve desejo de fazer amor e eu de dar-lhe esse gosto e nos jogamos sujos como estávamos a rever o que era aquilo de meter e tirar e lamber e morder, apesar de nos enojar o fedor que saía de nossas bocas e axilas. No quarto dia choveu e ficamos empapadas como recém-nascidas e choramos. Todas choramos. E os homens choraram, escondendo seus rostos. No quinto dia secamos tudo o que deixamos ao sol, inclusive nós mesmas, nuas na montanha como tatus. Secamos nossa mágoa, a dobramos com cuidado ajudando-nos para não grudar os cantos e a guardamos debaixo da terra. No sexto dia a vida se pareceu com nós mesmas e alguns foram caçar e cozinhamos em várias fogueiras que se estendiam para lá da escuridão. De tão grande que era a população de proibidos. De fogueira em fogueira, os exilados perguntavam se já tinham visto fulano de tal, que era desse ou daquele jeito e atendia por tal nome. E às vezes alguém corria de braços abertos para o outro e eu tomava meu filho nos braços, não por amor mas por solidão. Por causa da magnitude daquela angústia. Necessitava do meu filho comigo, entre os meus peitos, queria seu corpo sem terra contra o meu.

La Machi saía de tanto em tanto tempo, montada no seu cão enorme e tigrado para procurar machucadas, perdidas, todas as pessoas que tocaram em nós por mais de três vezes e que chegavam até aqui orientadas pelos pássaros. Atravessava o muro de árvores que se erguia ao nosso redor e as trazia ao acampamento, que reunia mais refugiadas a cada dia. Naquelas primeiras semanas de recém-chegadas, não descansou nunca. Queríamos ir com ela, mas recusava nossa companhia e empreendia os resgates sozinha com sua alma, carregando no dorso do seu cão quem não conseguia dar mais um passo. Aqui as curávamos, dávamos água para elas, abrigávamos ou refrescávamos, segundo os caprichos do clima. Àquela altura, desenvolvemos alguns hábitos. Procurávamos contar a história em toda lua cheia. A gente se juntava para isso, para contar a história desde o começo, o que vimos, o que ouvimos, o que nos fizeram na pele, as marcas das fustigações e também as marcas do amor. Pequenos clãs, ao redor do fogo, contávamos umas às outras tudo aquilo que lembrávamos e mesmo inventávamos até que nosso corpo adormecesse.

Eu escutava como um radar, queria escutar e recordar absolutamente tudo. Cada coisa dita naquelas reuniões, porque depois eu as escreveria, mesmo que fosse na terra para que qualquer vento pudesse apagar, eu as escreveria de novo.

Tudo é a montanha. Esse assunto complicado parece não terminar nunca, os espinhos que ferem quando se corre, escapando do animal ou o perseguindo, ou simplesmente procurando espantar as feras para que não comam o pássaro transparente sobre o qual escrevo, um dos poucos que restam no mundo e que aninhou em minha casa. Dizem que esse pássaro é parente do Quetzalcóatl, que por sua vez é parente da grande ave Fênix. O pássaro ainda existe porque vive debaixo da terra, cava seu próprio ninho. Um pássaro assim, como um camaleão de plumas que muda de tamanho até ser pequeno como um pardal ou enorme como uma águia, vive comigo e regula com seu ânimo o temperamento do meu exílio. Quando a inquietação ou a tristeza não o assediam, suas asas abertas têm o tamanho do abraço de um homem. Sua cauda deve ter um metro, seu bico muda de cor com ele. Quando surgem caçadores por perto, fica alaranjado, como a tarde aqui, e o melhor a fazer é sair correndo como uma lagartixa e rezar por todos os mortos, já que é bastante provável terminar empalada se não corrermos. Quando adormece fica preto preto, parece uma bruxa coberta com uma manta. Queixa-se como um velho. Veio até aqui como se não pertencesse a ninguém, a não ser a mim. Renunciou a La Machi, fazendo com que ela ficasse ressentida comigo. Ela não olha para mim com bons olhos, dizendo que me apropriei de sua criatura, porém me perdoa pelo acontecido. Não se conforma por perder o pássaro, mas já sou o seu lugar de origem.

No começo éramos as recém-chegadas, as estrangeiras com cheiro de bunda. O clima mudou ano após ano e sua crueldade chegou sem ruído como o desamor. Aqui ficamos e soubemos que a terra nos protegia ao fazer espinheiros crescerem, espinheiros que servem de muralha para nosso acampamento. Aqueles que ficaram nas cidades tinham medo de vir nos procurar. Seus satélites não funcionavam, seus relógios, seus telefones celulares, toda a sua tecnologia se recusava a nos delatar, e eles tinham medo. No que faziam muito bem. Quando enviavam suas expedições em nosso rastro, nunca mais se sabia delas. A própria terra as devorava por completo.

O cabelo de algumas de nós começou a cair e com esses chumaços fizemos ninhos para os nossos filhos. Cobríamos nossos crânios devido à vergonha de estarmos calvas. Estávamos carecas e sozinhas. Sentíamos falta de nossas maquiagens, nossos óleos, os cremes com que nos untávamos, os rubores da cosmética, a sombra com que delineávamos nossos olhos. Estávamos na montanha cada dia mais nuas, o rigor do sol nos machucava, o frio também, tínhamos os lábios tão ressecados que não podíamos sorrir sem sangrar, nossa pele ardia, em um ano envelhecíamos quinhentos, nosso corpo era um punhado de terra.

Uma travesti de boas carnes apareceu nua e coberta de barro, e sobre a pele de terra tinha desenhado espirais. No ventre, nos ombros, nas costas, um arranhão. Outra seguiu seu exemplo e outra e outra, e logo estávamos todas maquiadas de novo; o barro secava de diferentes maneiras sobre nossos corpos, com aparência esbranquiçada, cinzenta, preta. Outras encontraram restos de tijolos nos fornos abandonados onde construímos nossos templos, outras misturaram seus conhecimentos com a recente paisagem e encontraram pigmentos verdes, pigmentos vermelhos para nossa carne nova. Com o sangue de nossas gengivas, sombreávamos nossas pálpebras, avermelhávamos a boca. As mãos que nos acariciavam diziam que nunca tinham tocado algo tão suave, apenas pó compacto, deixávamos restos de nós mesmas em tudo o que roçávamos. Como uma maldição travesti.

Muito perto, quase no ritmo com que deixávamos nosso rastro, vinha o raposo com quem traí o luto que mantinha por meu marido. Andava atrás de mim, sempre me espiando, com os olhos como agulhas na minha cabeça careca. Segundo o raposo, ele me viu chegar e gostou de mim na hora, mas sentia muito medo porque desconfiava dos humanos, não queria chegar nem perto. Porém, eu não acreditei nele, graças ao perfume de traidor que sua pelagem exalava.

O que mais eu podia fazer, já que meu marido tinha morrido – escreverei sobre isso mais adiante, prometo –, abri para ele as cortinas do meu rancho de viúva feito de barro, de ervas daninhas, de montes de palha com que abri talhos nas mãos, talhos por onde sangrei e apodreci. Os cordeiros vieram lamber minhas feridas. Eu morria de vergonha, não podia comigo mesma de tanta vontade de dar tudo para ele.

— Quer que eu dê o que para você? Quer minha vida, minha casa, meu nome? Diga, porque não sei mais o que dar para você — eu lhe pedia, eu lhe implorava.

E agora não resta mais que ressentimento em cima do meu vestido. Eu o odeio. Desejo que veja o seu reflexo no rio, que o veja por inteiro, que não reste um só palmo sem ver, que não se proteja de si mesmo, que nunca possa escapar daquilo que é, de ponta a ponta, do fio de pelo mais belo que sua mãe lhe deu até as patas imundas com que sujou minha casa.

Mas o rancor se escreve de gota em gota. Agora não é tempo de escrever o meu rancor.

Minhas costas se curvaram, meu cabelo ficou grisalho. Minhas tetas murcharam e caíram num gesto de amargura. Fiquei assim, como sou agora. Me entreguei à ditadura dos minerais e das bestas cegas. Afundo meus pés quando caminho e eles criam raízes a cada passo, custa me desprender do amor da terra, as raízes arrancam segredos de mica, minhocas dizem o meu nome; e sigo, um passo atrás do outro, as tetas pesam, a bunda se arrasta, meu pênis pende morto debaixo da saia que me protege dos mosquitos, das vespas e da picada das víboras.

Sinto falta da antiga sanidade. Amava de paixão as cidades. A cidade que fervilhava de gente e de carros e transportes públicos. Sinto falta da ordem das cidades pela noite, cada criminoso no seu lugar e no seu tempo, as putas adornando as esquinas como um detalhe que alguém concedeu à lua, os saltos ecoando no revestimento metálico das lojas fechadas. Os gemidos inesperados de um casal fazendo amor, talvez alguns andares abaixo, a risada dos meus amigos maricas roçando o vestido do movimento das ruas. Aqui, de noite, as cascavéis dão concertos e seu repertório é insuportavelmente triste. Suas vozes entram dentro de nós, fazendo que a vida não seja boa. E os mosquitos... odeio os mosquitos, além de ter que queimar esterco de qualquer animal para mantê-los afastados por algumas horas. Odeio a picada do mosquito com todo o meu corpo. Penso ter enlouquecido todas as noites dos primeiros anos aqui. Até dormindo eu chorava, por causa da impotência diante daqueles insetos que pareciam me querer como algum dia cheguei a desejar o meu marido.

 De quando em quando aparecem caçadores. Homens que não aceitam que a gente viva nem sequer no exílio. Se um caçador pegar você, é preferível engolir a língua do que estar viva à mercê deles. Muitos morreram nas mãos de um caçador. Mas nenhum caçador saiu com vida do nosso monte.

Estava enlutada de meu marido, que escorregou enquanto corria e rachou a cabeça em uma pedra tentando salvar nosso filho. A dor era como uma música, uma companhia de papel muito fino que vinha substituir a vida do meu marido. Eu, a viúva barbuda. Estava acocorada urinando atrás de um arbusto quando escutei os ramos estalando sob os pés pesados de um homem que carregava um fuzil. Corri mijando nas pernas com o caçador no meu encalço. Ia morrer toda mijada. *Vai me comer, vai me mastigar inteira*, eu pensava, e entrei num buraco onde o caçador não coube porque era maior do que eu. Com uma pedra bloqueei a entrada. Fiquei três noites lá dentro, comendo girinos de uma poça d'água. De tempos em tempos eu acendia a luz com um isqueiro já quase sem carga. Em três dias, o pássaro que muda de cor grasnou na entrada e descobri que podia sair. Voltei andando, com minha humilhação nas costas, que pesava tanto quanto a minha dor. Cheirava a merda e a sofrimento. Caminhei por todo o trecho pelo qual tinha fugido, aterrorizada por cada barulho que invadia meus tímpanos.

Quando os encontrei numa clareira, à sombra de uma pedra com a forma do meu rosto, fiquei quieta. Não quis avisá-los de que eu estava ali. Um porco e um felino em pleno amor dos bons. Não nego na frente de ninguém que senti um calor, mesmo com o cheiro de merda nas minhas saias, mesmo com o cheiro de mijo e o mau hálito dos três dias sem poder enxaguar a boca. Apesar do medo, permaneci como uma estátua, respirando tão suavemente que a morte dançou uma valsinha peruana e daí espiei o amor entre o gato e o porco. Me fizeram lembrar de como era trepar com meu marido. E também da vergonha, que acreditava perdida. Por minha impertinência. A de andar criando raízes em qualquer lugar, como se a montanha fosse minha.

    Essas coisas acontecem. Às vezes saio convencida de que já não sou osso, carne e pele. Estou mais para um erro, um espírito perdido, eu sozinha, o pássaro sonso aninhado em meu ombro, preto e indolente como um papagaio de pirata, como uma condecoração militar por ter sobrevivido ao outro mundo. O pássaro que agora parece feito de contas de vidro, um enfeite de mau gosto.

É preferível o nada. O amor ruim que ele me deu, e deixou nas minhas mãos como um pano. Levou até a minha porta quando soube que eu era viúva. Se aquela de então fosse como sou agora, não teria olhado para ele. Estava sozinha, no entanto, e a morte de meu marido deixou um vazio cruzado de descargas elétricas e queimaduras. Por quê. Ainda me pergunto de noite, sobre o monte de grama onde deito para repousar o couro, por que o deixei entrar. Que sentido tinha em mentir para mim mesma que era amor o que sentia por ele, e que era amor o que ele sentia por mim. Por aqueles olhinhos claros que não serviam para nada, nem para olhar a noite, que ficou mais e mais longa.

    Ele como se nada, olhando-se no córrego como um narciso de meia-tigela, para se adorar sozinho, por causa da inveja que nosso reinado travesti lhe causava.

    Um traficante a quem queremos muito nos traz caramelos. Entra pelas matas mas não sofre um só arranhão. Tem as unhas compridas e as apara com os dentes, a mordida limpa, mas as prefere compridas. Mais valem duras e afiadas para se defender da montanha. Imita o quero-quero à perfeição. Meu pássaro, ao escutá-lo, sempre altaneiro, como se se soubesse o mais belo sobre a terra, fica azul e dourado, e assim sei que o traficante de caramelos está chegando. Junto os pêssegos, as laranjas, o mistol e os grãos de ouro que retiramos do córrego. Carrego tudo na saia dobrada como uma bolsa, as pernas cabeludas, o crânio com o pouco cabelo que me restou, os cascos pretos de terra. Vou até ele, que sorri e faz uma reverência para mim, seu braço parece se alongar de tão elegante e sóbrio que é, como uma flor limpa, como uma pedra no rio. As outras, terrestres igual a mim, vêm aos trancos arrastados, perseguidas por suas filhas que arrastam o cabelo. Dá pena como o cabelo das crianças fica estragado.

— Escute, dona, e você como mastiga — me pergunta o homem vermelho, o traficante.

— Com força de vontade — eu respondo.

Vou com as outras a passo lento, como quem atravessa um bosque sagrado. Vou chupando caramelos, enquanto as observo todas alvoroçadas por causa da doçura.

Os traficantes trazem medicamentos, Coca-Cola, guloseimas, livros, velas, cosméticos, fofocas, instrumentos musicais, tintas, lápis, folhas, bolsas de água quente, espelhos, fotografias que encontram em nossos apartamentos abandonados, cujas donas às vezes estão aqui, vivinhas da silva. Os traficantes trazem luxos e prazeres. Daqui levam o beijo de alguém que lhes queima pela vida inteira.

Chegou à minha porta chamando aos gritos, a fulana. Com os punhos batia nas janelas que eram um inferno de galhos, braços que se enovelavam uns nos outros, espinhos e bichos-do-cesto. Batia, clamava com muitas vozes por minha presença à porta; então me levantei, arriei minhas tetas e apareci para vê-la, a cara de terra, o decote de terra, assustada porque sua menina vomitava e sentia náuseas. Ela se chamava Lilith e me lembro dela desde o êxodo, quando me ajudou a atravessar meu filho de um abismo a outro. Aqui na montanha conheceu uma atleta profissional, não lembro se era boxeadora ou maratonista. Tinha pernas grossas e musculosas. Apaixonaram-se, mais ou menos dois anos depois de chegarem. O casamento foi esplêndido. Pouco tempo depois, uma travesti mais jovem adoeceu e como não tínhamos remédios para ela nem magias (inventamos a magia depois), morreu deixando sua filha menor sem mãe – uma menina que, por sua vez, ela havia recolhido na fuga para o exílio –, e Lilith e sua esposa atleta a adotaram. Pim, pam, pum. Agora, ao escrever isso, sinto espanto diante de nossa simplicidade.

A esposa de Lilith foi calorosa e boa conversadora. Saíam para caçar e pescar juntas e vendiam material de limpeza que conseguiam por meio de contrabando. Uma tarde, a figura surpreendeu uma travesti roubando uma de suas galinhas e a perseguiu para castigá-la, mas a travesti estava armada com um facão e quando a ameaçou, acabou cortando o pescoço dela. Isso acontece ao se brandir armas brancas enquanto se foge. Grande tragédia. Na montanha recordam o grito de Lilith quando o sangue de sua esposa tocou a terra.

Pobre Lilith, minha irmã viúva.

— Está vomitando! — gritava para mim em frente à porta. — Sente tontura e diz que não se aguenta mais dentro de si mesma.

Falava de sua filha. Dizia que estava doente. Não sei por que me procurava em vez de procurar outra, uma médica, tínhamos médicos entre nós. Mas não. Veio até a minha porta, talvez porque eu costumava conversar com a filha dela, lhe ensinara a ler e a escrever, tinha intimidade com ela.

O que será que ela tem, eu pensei. Vesti as roupas, jogando por cima de meu corpo nu alguns tecidos que amarrei. Cheguei à porta da casa dela lembrando e lembrando, escrevendo na cabeça as palavras que me levaram até ali.

— Faz tanto tempo que a gente não se vê e olha só porque fui incomodar você — me disse Lilith.

— É preciso fazer o que precisa ser feito, sabemos disso.

Aqui acontece algo estranho, pensava, e comprimia os olhos como uma detetive de meia-tigela que aguça o olhar quando não tem pista nenhuma.

A menina esverdeada estava sentada debaixo do beiral dando de comer aos cães alguns pedaços de pão com polenta e ossos. Seu olhar era verde e os dentes estavam manchados. Parecia inchada como um cachorro cheio de vermes. Aproximei-me, fiz um par de perguntas que Lilith não escutou, tampouco ouviu as respostas. Quando terminei de falar com a menina, confirmei minhas suspeitas.

— Não há nada a fazer, está grávida, de pelo menos vinte semanas.

Como se estivesse esperando minha resposta, Lilith começou a puxar o cabelo da filha, sacudindo-a como se quisesse secá-la ao vento, e a garota gritava e mordia o ar na tentativa de se defender. Devia existir algum ringue para esse tipo de luta.

— Pare, vai machucá-la! — consegui gritar.

— Como você foi fazer isso, como foi que aconteceu!

E eu, que já ia embora sem olhar para ela, falei que ela sabia muito bem como tinha feito aquilo. O leite pulando dentro do seu corpo e inflamando algum ponto do intestino, como um útero com merda para fazer uma vida, um óvulo sinistro que enganou o espermatozoide.

— E vai parir onde, bem capaz de morrer antes! — gritou a avó.

— Já veremos isso, o mais provável é que o cague — eu falei, arrancando uma vagem de alfarroba e a chupando devagar.

E começou a me tacar pedras.

— Ressentida! — gritava para mim. — Nunca mais vou te procurar! Nem te pergunto mais nada! Você é má influência, nos trouxe até aqui e agora estamos sem homens e vivemos com medo.

— Mas se eram os homens que davam medo na gente, Lilith — respondi.

— Pra que fui te seguir! — gritava puxando os poucos cabelos que ainda humilhavam seu crânio.

— Você não me seguiu, seguiu La Machi.

— Será que você não entende, travesti brucutu? Mas ia entender o que...

— Shhhh, shhhh, cala sua boca, velho louco. Deixa a gente viver em paz — pediu a filha.

Ninguém conseguiu apagar o fogo no rabicó da mocinha. Conheceu o sexo e o curtiu demais. Esperava seu amante perto do cerco de galhos, o mato que era proibido para todos, menos para os traficantes e as pessoas que nos visitavam para nos trazer amor. Lilith nem imaginava isso, mas a montanha toda já sabia. As criaturas se misturavam umas às outras. Os javalis com os gatos, as travestis com os traficantes e com os homens sem cabeça que nos seguiram até o exílio. As travestis com outras travestis, as travestis com os maridos de outras travestis, a travesti proibida com o raposo proibido.

A filha de Lilith era amante de um homem sem cabeça chamado Rosacruz, que chegava por debaixo da terra até a nossa montanha. A cretina o desejava, mentia para a mãe e ia ao encontro dele. Outras, na vida anterior, também perderam a cabeça como ela por aqueles decapitados que já estavam há várias gerações no país. Dizem que era como trepar com o mel, que eram açucarados e pegajosos. Ela o esperava bem perto do muro e às vezes adormecia na espera. Ele brotava do chão como uma toupeira, esfregava o pescoço e trepava nela e a montava por horas.

Confundidas por seus gritos, que podiam ser de dor ou de prazer, jogávamos baldes de água gelada neles, que juntávamos dos fossos, batíamos neles com galhos para ver se se separavam, mas o amor era tanto que não arrefecia, tamanho era o desespero deles por fazer aquilo, não se rendiam, e os deixávamos se enroscando como cães. E guardamos o segredo dos olhos de Lilith.

Como todas as mães, ignorava tudo da vida da filha. Sua esposa, a finada atleta que morreu por causa de uma galinha, já costumava dizer isso.

— Você não sabe nada da vida dela.

O que nunca imaginamos, o que nunca pensamos que podia acontecer, era a gravidez. Como poderíamos imaginar que nossos corpos, os secos, este vaso de argila, estas tetas sem propósito, podiam criar vida.

— Isso não é das coisas da terra! Não pode ser! Vou envenenar a comida dessa puta! — gritava Lilith.

A vovó Lilith, só a vendo para crer! Mas a velha não sossegava. Gritava pela montanha afora, se jogava no matagal de alfarroba, espantando as cutias.

— Ela vai morrer, a estúpida vai morrer! Como é que vai conseguir parir! E o pai não aparece, claro. Por que a gente tinha que vir para cá! Precisávamos perder tudo, esquecer de tudo, fundar tudo novamente por culpa dos seus desejos e agora isso, a pior de todas as coisas. Quem vai cuidar de mim se minha filha morrer? E ainda por cima com um homem sem cabeça, com aqueles pretos de merda, com aqueles imbecis irresponsáveis.

As garças fugiam, brancas de luz cegante, as pernas longas como uma vez nós também tivemos escaladas em nossos sapatos de acrílico. Cada grito de Lilith renegando a filha era mais que suficiente para irem embora e não voltarem nunca mais. Nós as víamos partir, suas brancuras pelo céu que ficava mais e mais escuro e com mais estrelas.

E entre os lamentos de Lilith e os novos costumes do povoado, a menina engordava e esticava o bucho para a frente. As travestis punham as mãos em cima do ventre que se mexia em todas as direções. O que estaria sendo gestado ali dentro? Os dias passavam e necessitávamos inventar algumas mitologias. Recapitular velhas idolatrias. As imagens pagãs, as que Moura cantava.

Enquanto esperávamos o nascimento, construímos uma igreja em um forno de assar tijolos que estava abandonado. Tivemos que limpar as cinzas e o carvão e ficamos cobertas de fuligem, pretas, nossas cabeças enegrecidas e nossas pestanas grudadas. Fomos rezar por lá; na verdade, algumas cantigas de outras vidas que trazíamos na bolsa. Fomos escutadas: a chuva veio até a nossa pátria e regou as raízes mais profundas das árvores da montanha. Chiquichiquichiqui, escutava-se o chocalho da serpente distribuindo frutos proibidos para as habitantes do lugar.

Nossas mães, na lembrança, apareciam banhadas por sua velhice e suas fraquezas, a lembrança de nossas mães estilhaçava nossas vistas, nunca pensamos em reavivar esse fogo.

Durante as noites, assim que meu marido morreu, chorado e gritado, o raposo mal parido começou a me visitar, o raposo com sua pica vermelha e enorme. Quando a vi pela primeira vez, gritei-lhe de joelhos, esmagada pela alegria.

— É igual à pica de Chinaski! Vermelha e com as veias roxas!

O raposo media mais ou menos um metro e meio e falava amavelmente com uma voz bastante grave. Carne proibida, me dizia, cadela, cu fervente, velha ressentida. Um metro e cinquenta tinha o animal e o músculo era firme, tinha força. Se estava ferida, sua língua cicatrizava minhas rachaduras, me fechava a pele, aliviava as queimaduras. Fazia com que esquecesse o meu marido, levava meu pensamento para passear pela montanha inteira e depois o devolvia ao meu corpo. Fazia-me servir um raposo da montanha que sabia meu idioma, que conhecia como, até onde e quanto era preciso entrar no pântano em que me convertera. A curva do meu ventre ficava rosada e cheirava tão bem como a dele, então a música voltava, cadela contra raposo, a música era feita por nós. Eu me espantava com o que podia dizer a ele, as coisas que podia inventar. Uma língua longa, fina, como uma arraia rosada, me lambia por dentro da boca, dente por dente, todo o céu da boca, o paladar arenoso, a pele da bochecha, tão parecida com o interior da bunda onde ele metia a metade

de sua beleza. Eu ressuscitava. O pássaro, durante as visitas dele, ficava todo alaranjado, parecia refulgir como um punhado de ramos no fogo. Desconfio que sentia ciúmes.
    Eu não queria pensar no amor.

    Ajudávamos aquelas que desejavam morrer. As que chegavam em busca de nossa ajuda diziam: "Quero pão". E sabíamos que se tratava do anseio por morrer, um mal que atacava as travestis, apesar de não chegarmos a descobrir se também era uma bênção. Um dia as travestis decidiam quando a vida terminava. Não queriam morrer sozinhas, então vinham até nós. Nós as levávamos para uma casa de pedra que descobrimos na subida da montanha, sabe-se lá de que tempo. Os homens não tinham permissão para entrar. Somente nós e as mulheres que ofereciam ajuda, médicas, psicólogas, astrólogas, cozinheiras. Permanecíamos com a suicida até que pedisse cinco vezes a morte. Procurávamos não intervir na decisão das que vinham em busca de ajuda, apenas ficávamos ali, uma de nós saía para passear com elas sem perdê-las de vista.
    Às vezes chegávamos em tropa, as travestis, e cozinhávamos, preparando comilanças pantagruélicas, tínhamos mesas compridas onde comíamos e falávamos todas ao mesmo tempo, de tudo de uma só vez, falávamos do presente, do passado, do futuro, invejávamos os maridos, as esposas, mostrávamos os resultados mágicos de nossas cirurgias, ríamos, escutávamos as árvores falarem e o tremor das pedras. As doentes que ansiavam morrer compareciam impávidas aos jantares; às vezes riam e quando chegava a noite me dava uma vontade louca de perguntar a elas como era

possível que mulheres que tinham sofrido tanto, a ponto de quererem perder a vida, rissem daquela maneira, com aquelas gargalhadas que afugentavam os patos e preenchiam o céu de quaquás.

Chegavam adolescentes que estavam quebradas por dentro, quando as abraçávamos, estalavam, secas e frágeis, expulsas de suas casas, criadas na intempérie. Chegavam as velhas, convictas de que eram um resíduo, o lixo do mundo, tatuadas de amargura; chegavam as de meia-idade, sem terem se adaptado. Nenhuma escapava do vírus do suicídio.

Em uma clareira bem iluminada, nos reuníamos ao redor daquela que decidira enfim que, agora sim, era chegada a hora.

— Que droga você quer? — perguntava La Machi, que conseguia com os traficantes até perfumes de Lanvin e Guerlain.

A que ansiava morrer dizia:

— Quero um ácido.

Nós o depositávamos em sua boca e falávamos com ela, perguntando coisas de sua infância, e ela falava até entrar em estado de graça. La Machi revirava os olhos brancos e dominava o cenário. Podiam passar horas e horas até o efeito minguar e a suicida adormecer.

— Por aquilo que fizeram com nós. Pelo que sofremos. Pelo pão que nos tiraram. Pelo amor negado. Que vá para o céu das travestis.

Afastava as presentes e com um punhal de prata com cabo nacarado, zás, de maneira muito precisa, bem como se tivesse nascido para aquilo, abria a garganta em duas e pronto.

Queimávamos as suicidas recobertas de ervas e rezávamos: *Naré naré que quitzé narambí...*

E eu escrevi na terra com um galho:

"Que fazem todas essas travestis trepadas numa árvore, como ninhos de pássaros cobertos de lantejoulas e couro sintético? Que fazem ali como frutos de perfumes baratos, cabelo ralo e maquiagem grosseira que rebrilha debaixo da lua? Parecem panteras. Parecem morcegos que pendem, ensonados. Que fazem ali, naquela árvore de córtex escuro que as sustenta como uma mão que leva entre os dedos o emaranhado de travestis. Escondem-se da polícia, é o que fazem. Sentem pavor da polícia, por isso sobem nas árvores como felinas do fim do mundo."

Todas as semanas vou buscar ovos no rancho de Sulisén. Ovos frescos que ela mesma bota nos terreiros, agarrada a um toco improvisado que o grande amor dela deixou para amarrar os cavalos. Ela rebocou as paredes de sua casa com as mãos, preparando o barro e aplainando-o com as palmas. A casa dela parecia com as nossas. Sulisén também foi das primeiras a chegar, e uma das primeiras a se cobrir inteiramente de barro. Tinha umas tetas compridas e rachadas, iguais às minhas, como se dos ombros lhe pendessem cascatas de estrias. Sua pele esticou por conta da pressão do enchimento e escreveu aquele sortilégio nos mamilos. Mudou-se para cá com um dos primeiros recém-chegados, um que também nos tocou mais de três vezes. Um bofe peludo com dorso de orangotango que a erguia no ar e a fazia cacarejar quando faziam amor.

— Parecia que ele estava jogando uma laranja para cima e zás!, me espetava com aquela pica sem ao menos me deixar tocar o chão — contava Sulisén aos risos.

Do namoro não resta muito a se dizer, a não ser que para muitas de nós sempre foi melhor o exílio.

O namorado de Sulisén fora atacado por abelhas e não houve maneira de salvá-lo da morte. Partiu inchado e lutando por cada gota de ar que entrou nos seus pulmões até não respirar mais. Ela ficou viúva e cheia de amor para arrancar de cima como cabelo velho. Os idiotas do povoado não se aproximavam dela, de modo que não podíamos consolá-la com putarias e surubas montanhesas, e ela foi minguando e minguando até ficar fininha como um fio de voz.

Chorou-o por um outono inteiro, sentada à porta do seu rancho. Às vezes cruzávamos com ela na feira ou na colheita do mistol e ela fazia tudo chorando. Pobre Sulisén. Envelheceu muito naquela época. Nós a víamos passar a vida inteira chorando seu namorado morto, no corredor de seu rancho, as pulgas, os carrapatos subiam por suas pernas. Encolhia a cada dia, podíamos sentir o ranger dos seus ossos que se comprimiam sob a pressão da carne.

— Sulisén, o que está fazendo aí agachada como uma galinha chocando? — perguntávamos para ela ao passarmos.

Sulisén começou a criar o seu segredo avícola quando era namorada daquele que morreu picado por abelhas. Aparecia em casa para visitas e quase sempre, no meio do café que custava tanto conseguir de contrabando, corria até o terreiro, ao banheiro, e voltava de lá transparente.

— Garota! Mas o que é que você tinha nesses intestinos que está suada desse jeito!

— Problema meu e das minhas tripas — dizia ela e apertava sua sacola contra o corpo, como algo que não pudesse perder.

Certa tarde daquelas em que o verão se parece mais com uma tortura do que com uma estação, ela aprontou o mesmo de sempre. Levantou-se no meio do café, cortando minha fofoca ao meio e disparou para os fundos como se estivesse cagando nas saias por causa do meu café. Segui-a sem pisar no chão, que é muito delator, e a espiei por detrás dos galhos sem nadica de culpa. Não apontava o rabo para o buraco na terra que servia de latrina. Ficava na beiradinha, acocorada rente ao chão, e a transpiração reluzia como um espelho na sua pele velha. Respirou fundo e fez força até que um ovo de galinha caiu na terra e ela o embalou cuidadosamente em papéis de revistas que carregava na sacola. Atravessei diante dela porque, entre lhe dizer que eu sabia e tê-la espiado, as duas coisas me pareciam igualmente terríveis.

— Mas por que não contou para mim?

Ela, flagrada ao lidar com seu segredo, como essas crianças cujas mães as obrigam a mijar na rua, respondeu com a habilidade de um arqueiro:

— O que te leva a pensar que temos que saber tudo uma da outra? Tenho direito a ter um segredo.

— Mas você está botando ovos, amiga.

— Podiam ser pepitas de ouro. Meu segredo é só meu.

Logo a casa se encheu de galinhas e galos e não havia mãos suficientes para defendê-los, não apenas das raposas, mas também das ladras. Pelo fato de sermos travestis, não estávamos isentas da delinquência. Quando vimos, descobrimos as mil maneiras de cozinhar um frango, recuperando as proteínas perdidas no exílio por estranharmos a carne de cutia. Um merengue nunca foi tão saboroso e firme quanto o feito com as claras dos ovos de Sulisén. Nunca um frango foi tão parecido conosco como os frangos de Sulisén. E ela, que botava nome em todos que podia, sabia que não era nenhum crime comer seus próprios filhos, pois era mãe, no final das contas. Peitinho Dadá, Bico Sujo, Bunduda Um e Bunduda Dois, a Mulatona, Sapateador Castanho, Macho Duvidoso, Esporão Framboesa, Mariquita Pena Vermelha, Cocó Chanel, Franguinho Ortega, Franguinho Suárez, Mais Abacaxi do que Galinha, Piupiu e Fiofó. A prole se multiplicava e era suficiente para todo o mundo.

Como quem se senta agachada a ruminar a vida inteira, ela esperava botar um ovo e outro e outro. Depois os lavava. Depois os trocava, às vezes por trabalho, para que alguém varresse o seu terreiro ou lavasse os poucos trapos que usava para se cobrir, para que alguém negociasse com os traficantes ou consertasse as palhas trançadas do seu teto.

Sulisén me recebe à porta do rancho batendo um merengue. Ai, que satisfação encontrá-la tão enérgica; os pelos do antebraço são pretos, uma pulga salta do meio dos pelos como se a acusasse pela imundície.

— Está fazendo o que, Sulisén, que bom te ver.

— Nada, só a sobremesa para servir de noite.

De noite, esperamos que a filha de Lilith dê à luz. Algumas das antigas já estão acompanhando as primeiras contrações. No povoado há médicas até dizer chega. Como as travestis médicas que fazem o que podem com os remédios que recebem de contrabando.

— Veio pelo de sempre? — me pergunta já sabendo a resposta; então me dá sua tigela de barro e a batedeira enferrujada e me diz para não parar até chegar ao ponto de neve, e some pelo rancho. É perseguida por um totó preto feito um corvo; *sai de mim*, ela diz para ele, e o bota para correr com uma pezada. Que bonita ela está, tem pés de galinha. Ao voltar, traz uma dezena de ovos; *estão limpinhos*, diz, entregando-os para mim e recebe a tigela com o merengue no ponto, as claras de neve batidas, e me diz *não é nada desta vez*. Para provar o ponto vira a tigela de ponta-cabeça e as claras não caem.

— Viu a filha da Lilith?

— Já está com treze meses de gravidez — digo para ela —, as tetas estão cheias de leite. Não acho que seja esta noite, mas está quase. Preste atenção, Sulisén, isso está ficando cada vez melhor.

— La Machi diz que vai ser esta noite e estou acreditando em qualquer coisa — me diz e entrega os ovos numa bolsinha.

— Bom proveito, agora que você não come mais animais.

E é verdade, virei vegetariana desde que meu filho foi devorado pelo raposo.

Também criamos hábitos por aqui. Também tivemos um ninho aqui. Aqui meu filho brincou nos terreiros e deu beijos em outros meninos para aprender a amar. A gente se defendeu não só das feras, mas também das iguais. Das outras travestis que me acusaram de orientá-las mal por seguir meu marido. Revoltas no lamaçal, agarradas pelos cabelos, defendemos o que outras quiseram nos roubar ou respondemos aos insultos.

E quando já estava acostumada a essa música e a esses rituais, certa noite fiquei sozinha para sempre.

O menino tinha adormecido sob o clarão da lua, coberto pelas rendas da minha saia para que os mosquitos não o picassem. Foi minha culpa termos nos distraído da vigilância.

Procurei meu marido, que já era tão velho quanto eu, pois naquela noite e debaixo daquela lua me pareceu o homem mais belo jamais disposto para mim sobre a Terra, que não passava de um torrão sem vida naquele nosso exílio. Estava lindo sob os quilos dos anos que lhe jorravam por cima, sentado com a cara de frente para a noite rubra, fumando seu cachimbo. Foi minha culpa porque desejei recordar como era tê-lo dentro de mim, como senti-lo centímetro por centímetro, a forma curva do seu pau, a carne quase amarela, as veias esverdeadas debaixo daquela pele tão transparente a ponto de ser possível ver seu caráter. Untei-me com saliva, separei as nádegas e o comi todo como se tivesse dentes, pouco a pouco, para senti-lo com gosto e com desejo, para que também me desse desejo, e ele disse que ainda gostava muito de fazer aquilo, e naquele momento escutamos o grito do filho que foi sequestrado pelo raposo.

    Meu marido o perseguiu por toda a noite, comigo atrás dele, ambos gritávamos mas ninguém acudiu em nosso socorro. Por um instante foi o velho mundo transposto diretamente para a montanha. Uma varada de crueldade que venceu a fronteira dos espinhos. Toda a vegetação parecia atingi-lo com o fio das garras, cortando-o e dessangrando-o, à sua passagem saíam escorpiões e centopeias e as feras grunhiam em línguas que não são mais faladas. Correu e saltou córregos e chegou até o muro de espinhos que nos protegia dos caçadores. O raposo se enfiou entre os matagais com meu filho entre os dentes e desapareceu de vista. Meu marido, todo arranhado e nu. Cheguei em seguida e como uma covarde incapaz de mover um dedo gritei para ele:

    — Tem de alcançá-lo!

Isso o retirou de sua agitação, da sua falta de ar, e o fez correr pelos espinhais sem suspeitar que havia punhais incrustados nos galhos. Correu e, na cegueira do muro, resvalou no musgo e abriu a cabeça no fio de uma pedra.

Tempos depois, meu raposo amante, o que alivia a amargura de se ter perdido um filho, me leva até a sua cova. Em um canto vejo a roupa do meu filho ensanguentada. Eu também sou uma cadela, reconheço o cheiro do sangue dele.

Limpei a minha casa para escrever isso. Levei dias e mais dias para deixá-la limpa, com o piso de terra úmido e plano. Lavei até os cantos que não existem. Estou montando altares para o meu filho aqui.

Alegre, saio a caminho dos fornos. Os dentes-de-leão florescem, o rabo dos tatus são roxos e obscenos e o capim está verdejante. Vou me encontrando com outras travestis que arrastam como podem o peso do cabelo, que vai deixando um rastro igual ao das serpentes. Dizem que assim os animais se assustam e não vêm atrás de nós. Somos as mesmas que ajudamos quase sempre alguma suicida. Os fornos parecem nossas panças expostas ao sol, pretas e secas. A parturiente parece bem. Perdemos a conta dos dias em que continua prenha. Tem o ventre maciço e enorme, como se fosse nascer uma criança de cinco ou seis anos e não um bebê. O pai sem cabeça está entre nós. Diziam que eram serenos e parece ser isso mesmo, nada altera seus modos de decapitado. A avó está um pouco mais calma, resignou-se ao fato de sua filha ter engravidado. Lilith repousa junto à menina e a acalma com muitos carinhos.

— Tenha paciência. Vai devagar. Estamos todas aqui.

Sulisén aparece com os merenguinhos e os reparte como hóstias.

Uma médica, uma mulher que namora uma de nós, controla o pulso, a temperatura, as contrações. La Machi fica de lado e fuma seu cigarro enquanto murmura o mantra:

— *Naré naré pue quitzé narambí. Naré naré pue quitzé narambí...*

O homem sem cabeça, que se chama Rosacruz e é pai da criança inoportuna, permanece meio de lado com discrição protocolar, fora do círculo e da agitação das travestis parteiras. Ofereço um pouco do uísque que conseguimos de contrabando e ele me agradece com uma reverência.

— Tudo vai correr bem — digo para ele, mas é como se engolisse as palavras e então me engasgo. Meus olhos se enchem de lágrimas. Rosacruz dá uns tapinhas em minhas costas.

— São Brás, São Brás...

La Machi continua com seu mantra. Isto é como Chernobyl, é a primeira vez que acontece na terra. Estamos diante de um acontecimento, uma travesti dando à luz. O dia continua a avançar e as sombras se deitam de repente sob nós. A filha de Lilith fica de pé com a ajuda da mãe e vai para fora do forno, para debaixo de uma árvore. Sou uma imbecil para escrever, mas gostaria que vissem a luz rosada, rubra logo acima da borda do muro, e como o ar está tão quieto, a menina que vai até um arbusto e se deita. Rosacruz a acompanha de perto, o seu namorado sem cabeça, cuidando para não amassar o capim, de tão educado que é. Todas nos aproximamos para ver.

A menina se agarra na camisa de Rosacruz e grunhe e reclama como se tivessem pisado nos seus pés. La Machi começa a cantar e os olhos dela ficam brancos, e uma lebre completamente bêbada passa diante de nós e grita algo como "De noooite eu rooondo a cidaaade a lhe procuraaar, sem encooontraaar".

Uma contração na tarde. Lembro-me do meu filho, do meu marido, o pranto se parece mais com um vômito, cuspo as lágrimas para fora. Sinto saudades deles, sinto falta de minha casa na cidade, falta de minha cama e do meu banheiro. Tudo o que vivi há pouco tempo com eles não me é estranho. Sinto saudades dos meus pais, dos meus amigos, de quem não encontrei aqui. Sinto falta dos dias na praia, das livrarias onde podia passar tardes inteiras papeando a respeito de escritoras.

A filha de Lilith está sofrendo. Mas não podemos fazer nada. Vemos o instinto dançar, erguendo poeira ao redor da parturiente. La Machi detém a médica, que corre para ajudar.

— Ninguém se mexe. Ela precisa fazer isso sozinha.

— Mas alguém a socorra — pede Lilith.

— Está com o pai. Precisam saber. Não são idiotas.

Rosacruz dá meia-volta e diz para nós:

— Já nasceu.

E nos mostra o primeiro filhote, que chora como choram os filhotes. Em seguida a menina dá à luz outro filhote e depois outro e outro até que suas mãos se enchem com seis filhotes de cachorro cobertos de merda e de uma baba pegajosa como o miolo de um cacto.

Lilith quer se aproximar, mas a filha a impede com um gesto.

— Não é o momento — diz La Machi, que interrompe o mantra e estica uma das mãos. — Onde está o uísque, estou com sede. Vamos deixá-los sozinhos.

Eu fico de lado. Sulisén me chama lá de dentro, fazendo sinais para que eu tome um vinho com ela.

Vou beber com as outras. Através da porta temos a perspectiva de um grande marco da nossa religião. A adolescente que lambe os filhotes e aconchega seus focinhos aos seis mamilos que nasceram no seu ventre e se encheram de leite, para que se alimentem.

Leia também

Quando chegou à cidade de Córdoba para estudar na universidade, a autora argentina Camila Sosa Villada decidiu ir ao Parque Sarmiento durante a noite. Estava morta de medo, pensando que poderia se concretizar a qualquer momento o brutal veredito que havia escutado de seu pai: "Um dia vão bater nessa porta para me avisar que te encontraram morta, jogada numa vala". Para ele, esse era o único destino possível para um rapaz que se vestia de mulher.

Camila queria ver as famosas travestis do parque, e lá, diante daquelas mulheres e da difícil realidade a que são submetidas, foi imediatamente acolhida e sentiu, pela primeira vez em sua vida, que havia encontrado seu lugar de pertencimento no mundo.

O romance *O parque da irmãs magníficas* é isso tudo: um rito de iniciação, um conto de fadas ou uma história de terror, o retrato de uma identidade de grupo, um manifesto explosivo, uma visita guiada à imaginação da autora. Nestas páginas convergem duas facetas da comunidade trans, facetas que fascinam e repelem sociedades no mundo inteiro: a fúria travesti e a festa que há em ser travesti.

**Acreditamos
nos livros**

Este livro foi composto em Utopia Std
e impresso pela Gráfica Santa Marta para a
Editora Planeta do Brasil em outubro de 2022.